440

livros
de bolso
europa
america

Colecção "Livros de Bolso Europa-América"

ODES
DE RICARDO REIS

Seguidas de

FERNANDO PESSOA
E OS SEUS HETERÓNIMOS,
em textos seleccionados do poeta,
incidindo em especial sobre R. Reis

Introdução, organização e biobibliografia
de António Quadros

4.ª edição

Publicações Europa-América

Capa: estúdios P. E. A.

© da Introdução: Publicações Europa-América, Lda.

Editor: Francisco Lyon de Castro

PUBLICAÇÕES EUROPA-AMÉRICA, LDA.
Apartado 8
2726 MEM MARTINS CODEX
PORTUGAL

Edição n.º: 140940/6056

Execução técnica:
Gráfica Europam, Lda.,
Mira-Sintra — Mem Martins

Depósito legal n.º: 74482/94

ÍNDICE

O ORGANIZADOR E INTRODUTOR

Pensador, crítico e professor, também poeta e ficcionista, licenciado em História e Filosofia pela Faculdade de Letras de Lisboa, o Dr. António Quadros é autor de obras de pensamento, crítica e historiografia literária, como, entre outras, O Movimento do Homem, A Existência Literária, Crítica e Verdade, Ficção e Espírito, O Espírito da Cultura Portuguesa, Portugal entre Ontem e Amanhã, A Arte de Continuar Português, Poesia e Filosofia do Mito Sebastianista ou Introdução à Filosofia da História; e de poesia e ficção, como os poemas de Viagem Desconhecida e de Imitação do Homem, ou como os contos de Anjo Branco, Anjo Negro, Pedro e o Mágico (para crianças), Prémio Nacional de Literatura Infantil, e Histórias do Tempo de Deus, Prémio de Novelística da Casa da Imprensa e Prémio Ricardo Malheiros, da Academia de Ciências de Lisboa.

Professor de Deontologia da Comunicação na Universidade Católica, de História de Arte e de Cultura Portuguesa no IADE, Instituto de Arte e Design, de que foi director.

Foi um dos fundadores das revistas de cultura Acto, 57 e Espiral, tendo exercido a crítica literária regular em diversos jornais. Ao longo dos anos colaborou sempre na imprensa e em publicações culturais, bem como na rádio e na televisão. Nomeadamente depois do 25 de Abril, produziu programas sobre cultura portuguesa na Rádio Renascença e na Radiodifusão Portuguesa, escrevendo também em revistas ou semanários como Persona, Silex, Ensaio, Expresso, Democracia e Liberdade, Semanário ou Tempo.

Participando em numerosos seminários ou simpósios, António Quadros apresentou nomeadamente, nos últimos anos, comunicações sobre «Massificação, uniformização e criatividade» (Colóquio Nuevas Metas para la Humanidad, Madrid, 1982, a convite do filósofo Julian Marías); «Introdução à Teoria da Identidade Portuguesa» (Seminário sobre a Expansão da Língua e da Cultura Portuguesa no Mundo, na Universidade da Califórnia, Santa Bárbara, 1983); «O Homem Português» (ciclo sobre «Que cultura em Portugal nos próximos 25 anos?», Biblioteca Nacional, Lisboa, 1983, organizado pela Verbo); «Ortega y Gasset, Filósofo de Razão Vital» (centenário do pensador, Fundação Gulbenkian, 1983); «Leonardo Coimbra» (centenário do pensador, Fundação António de Almeida, Porto, 1984), «O Epos e o Mythos na Literatura Brasileira Moderna» (I Congresso Português de Literatura Brasileira, Fundação António de Almeida, Porto, 1984); «Introdução ao Portugal Encoberto» (colóquio Que Projecto para Portugal?, integrado nas celebrações oficiais do Dia de Portugal, Viseu, 1984) ou «A Arte de Ser Português — Do projecto áureo aos mitos regeneracionistas e às quimeras de substituição» (1.º Curso de Férias da Universidade Católica, Tomar, 1984).

Com Branquinho da Fonseca e Domingos Monteiro, foi um dos organizadores do Serviço de Bibliotecas Itinerantes da Fundação Calouste Gulbenkian, de que foi inspector-geral e presidente da Comissão da Escolha de Livros, bem como director, até 1982.

Foi também um dos fundadores (pertenceu a ambas as comissões organizadoras) da Sociedade Portuguesa de Escritores, tendo feito parte da sua primeira direcção, sob a presidência de Aquilino Ribeiro, bem como da Associação Portuguesa de Escritores.

Membro da INSEA, International Society for Education through Art, órgão consultivo da UNESCO, tem a Ordem da Rainha Vitória (M. V. O.), concedida pela rainha Isabel II, na sua visita a Lisboa em 1957.

O Professor António Quadros estudou o movimento do Orpheu, a que dedicou um capítulo do seu livro O Espírito da Cultura Portuguesa, e nomeadamente alguns dos artistas ou escritores a ele ligados, como Almada Negreiros, sobre quem escreveu vários ensaios ou artigos e para quem organizou uma homenagem no IADE logo depois da sua morte, em 1970; António Ferro, de quem organizou e prefaciou duas antologias de prosa e de poesia, esta de inéditos, com o título Saudades de Mim; e Mário de Sá-Carneiro, de quem prefaciou, organizou e anotou a Obra Poética, publicada em edição dos «Livros de Bolso Europa-América» (1985).

Filho dos escritores Fernanda de Castro e António Ferro, tendo este sido, ainda com 19 anos, o editor da revista Orpheu e companheiro e amigo pessoal de Mário de Sá-Carneiro e de Fernando Pessoa, António Quadros desde muito cedo se interessou pela obra do grande poeta, tendo-lhe dedicado diversos livros, ensaios e artigos, mais adiante enumerados. Como especialista pessoano, participou em vários colóquios sobre o poeta, nomeadamente o seminário realizado no Centro Gulbenkian de Paris, juntamente com Yvette Centeno, Eduardo Lourenço e José V. de Pina Martins (1979), o simpósio internacional na Universidade Vanderbilt em Nashville, nos Estados Unidos (1983), o colóquio sobre «Fernando Pessoa no Brasil», realizado no Instituto Superior de Ciências Políticas e Sociais (1985), e ainda os colóquios e conferências organizados em São Paulo, Rio de Janeiro, Brasília, Recife e Salvador, bem como o Congresso Pessoano na Fundação Gulbenkian, no cinquentenário da morte do poeta em 1985, além de conferências e palestras, em instituições de cultura ou na rádio (Rádio Renascença e RDP).

António Quadros faleceu em Lisboa em 1993.

Algumas obras de António Quadros, sobre Fernando Pessoa

LIVROS

Fernando Pessoa, a Obra e o Homem, *Ed. Arcádia, Lisboa, 1.ª ed., 1960; 2.ª ed., 1968, esg.*

Fernando Pessoa, Vida, Personalidade e Génio, *1.ª ed., Ed. Arcádia, Lisboa, 1981; 2.ª ed., revista e acrescida de um apêndice sobre «Heteronímia e Alquimia ou do Espírito da Terra ao Espírito da Verdade», Publicações D. Quixote, Lisboa, 1984.*

Fernando Pessoa, Iniciação Global à Obra, *antologia comentada, Ed. Arcádia, Lisboa, 1982, esg.*

Fernando Pessoa. Antologia, *precedida de uma «Breve introdução à vida e à obra», ed. Instituto Português do Livro, a publicar.*

Fernando Pessoa, Obra Poética e em Prosa, *3 vols. em papel bíblia, introduções, organização e notas, em colaboração com Dalila L. Pereira da Costa, Ed. Lello e Irmão, Porto, 1986.*

ALGUNS ENSAIOS, ARTIGOS E CAPÍTULOS DE LIVROS

«A propósito das Cartas de Fernando Pessoa a Armando Cortes-Rodrigues», in Modernos de Ontem e de Hoje, *Portugália Ed., Lisboa, 1947.*

«O Existencialismo de Fernando Pessoa», in A Existência Literária, *Soc. de Expansão Cultural, Lisboa, 1959.*

«Poesia, Drama e Metamorfose em Fernando Pessoa», in Jornal de Letras e Artes, *I, 1, de 4-10-1961.*

«Fernando Pessoa, Filósofo», in Diário Popular, *Lisboa, de 12-6-1969.*

«Duas Cartas Inéditas de Fernando Pessoa a António Ferro», in Diário Popular, *de 31-1-1974.*

«Fernando Pessoa e o Amor», in O Dia, *de 1-9-1979.*

«Fernando Pessoa, Patriota», in O Dia, *de 1-3, 15-3, 22-3, 15-4 e 3-5-1980.*

«O 'Eros e Psique', de Pessoa, proposta de uma hermenêutica», in Persona, *n.º 4, ed. Centro de Estudos Pessoanos, Porto, 1981.*

«Para uma 'Humanidade Superior' (Teixeira de Pascoaes e Fernando Pessoa)», in Introdução à Filosofia de História, *Ed. Verbo, Lisboa, 1982.*

«Fernando Pessoa», in Poesia e Filosofia do Mito Sebastianista, *I vol., O Sebastianismo em Portugal e no Brasil, Guimarães Ed., Lisboa, 1982.*

INTRODUÇÃO À VIDA E À OBRA POÉTICA
DE FERNANDO PESSOA

1 — Pessoa «homem célebre» — como foi possível?

Setenta anos atrás, um desconhecido alinhava no papel algumas reflexões sobre a celebridade. Às vezes, quando penso nos homens célebres, sinto por eles toda a tristeza da celebridade. A celebridade é um plebeísmo. Por isso deve ferir uma alma delicada. É um plebeísmo porque estar em evidência, ser olhado por todos inflige a uma criatura delicada uma sensação de parentesco exterior com as criaturas que armam escândalo pelas ruas, que gesticulam e falam alto nas praças. *E ainda:* Depois, além de plebeísmo, a celebridade é uma contradição. Parecendo que dá valor e força às criaturas, apenas as desvaloriza e as enfraquece. Um homem de génio desconhecido pode gozar a volúpia suave do contraste entre a sua obscuridade e o seu génio; e pode, pensando que seria célebre se o quisesse, medir o seu valor com a sua melhor medida, que é ele próprio[1].

Dir-se-ia que desde logo, em 1915, esse rapaz desconhecido ou quase desconhecido, Fernando Pessoa, ainda na casa dos 20 anos, com a plena consciência do seu génio, tinha já experimentado, sofrido — e vencido! — a tentação de uma celebridade facilmente ao seu alcance, mas sentida como grosseria, fraqueza, diminuição.

E que, em dois ou três anos de actividade literária, ainda sem um único livro publicado, tinha já estado à beira da fama, mas, atingindo muito depressa a maturidade que em geral só é dada por uma vida longa e rica, a tinha recusado em nome de valores mais altos...

---

[1] Fernando Pessoa, *Páginas Íntimas e de Auto-Interpretação*, Ed. Ática, Lisboa, 1966, pp. 66 a 68. Texto escrito para a coluna «Crónica da vida que passa», que o poeta assina em 1915 no periódico *O Jornal*, mas que não chegou a ser publicado.

É preciso ser muito grosseiro para se poder ser célebre à vontade, *dizia mais adiante. Ou ainda:* Todo o homem que merece ser célebre sabe que não vale a pena sê-lo. Deixar-se ser célebre é uma fraqueza, uma concessão ao baixo-instinto, feminino ou selvagem, de querer dar nas vistas e nos ouvidos [...] E aquela frase de que «homem de génio desconhecido» é o mais belo de todos os destinos torna-se-me inegável; parece-me que esse é não só o mais belo, mas o maior dos destinos.

E contudo, *setenta anos depois, esse jovem poeta que escolheu a obscuridade, porque ser um homem de génio desconhecido é o maior dos destinos, tornou-se no mais célebre dos escritores portugueses do nosso século e um dos mais célebres de sempre...*

Há dois anos, no Simpósio Internacional sobre Fernando Pessoa, realizado na Universidade Vanderbilt, de Nashville, nos Estados Unidos, encontrámos devotos especialistas pessoanos de todo o mundo, desde a França, a Espanha, a Inglaterra ou a Roménia, até ao Brasil, a Porto Rico, ao Canadá e à grande nação norte-americana, representada por professores, críticos e escritores de Nova Iorque, de Washington, de Rhode Island, de Connecticut, de Nova Jérsia e dos estados de Ilinóis, Luisiana, Iova, Texas, Missuri, Indiana, Novo México, Califórnia ou Florida.

Com certo espanto verificámos por exemplo que a Mensagem, em geral considerada como uma expressão do nacionalismo português, e portanto uma obra particularista, interessando só aos Portugueses, era apaixonadamente lida e estudada como uma obra-prima universal e universalista, por um William H. Roberts, professor na Universidade do Novo México, por um David T. Haberley, da Universidade da Virgínia, por uma Roxana Eminescu, da Universidade de Bucareste, ou por duas jovens investigadoras de ascendência chinesa e japonesa, Linda S. Chang e Lorie Ishimatsu, da Universidade Vanderbilt, que no referido simpósio trataram com profundidade inesperada o tema: «O Poeta como celebrante: o Ritual Épico na 'Mensagem'.»

Em 1985, a propósito da exposição «Fernando Pessoa, Poeta Plural», organizada no Centro Georges Pompidou, disseram-se em Paris coisas extraordinárias a respeito do nosso poeta amante da obscuridade. O catálogo da exposição, por exemplo, abria com uma carta de Jorge Luis Borges a Fernando Pessoa: Nada te custou renunciar às escolas e aos dogmas, às vaidosas figuras da retórica e à tarefa teimosa de representar um país, uma classe ou uma época. Decerto nunca pensaste acerca do teu lugar na história da literatura. Tenho a certeza de que as homenagens sonoras te espantam, que te espantam mas que vão direito ao teu coração. És hoje o poeta de Portugal. Alguém pronunciará inevitavelmente o nome de Camões. Não faltarão as datas caras a toda a celebração.

Escreveste para ti, não para a glória. Juntos partilharemos os teus versos, deixa-me ser teu amigo![1]

Quanto aos críticos franceses, escrevendo a propósito da exposição e de algumas traduções e livros saídos pela mesma ocasião[2], foi-lhes difícil esconder o seu entusiasmo.

Pierre Rivas, por exemplo, citando Roman Jakobson e Octavio Paz: Fernando Pessoa, o poeta nacional depois de Camões, está a tornar-se um dos nomes constitutivos da modernidade[3].

Raphael Sorin: Será que Pessoa, como Maiakovsky e Apollinaire, que alguns já compararam a Roussel e a Duchamp, se vai tornar, depois de Pound e de Joyce, num *must* absoluto, o último farol da modernidade[4]?

Também Philippe Arbaizar, abundando no mesmo sentido: Pessoa transformou-se hoje numa figura lendária, num herói da modernidade...[5]

Patrice Delbourg resume esta onda consagratória: Em todos os continentes, Pessoa é festejado como um rei...[6]

E Jean-Pierre Thibaudat não hesita em escrever: Tomem-no como quiserem, pensem o que lhes apetecer, à hora em que escrevo estas linhas, *Tabacaria* é o mais belo texto do mundo...[7]

Poderíamos, obviamente, mas não vale a pena, multiplicar as citações deste género. Bastar-nos-ia para tanto recorrer à abundante bibliografia crescentemente dedicada ao poeta um pouco por todo o mundo. Não esqueçamos que Fernando Pessoa está hoje traduzido em alemão, búlgaro, chinês, espanhol, finlandês, francês, holandês, inglês, italiano, norueguês, polaco, romeno, russo e sueco. Mas o fundamental é compreendermos o fenómeno de uma celebridade involuntária, atingida à margem das leis que parecem reger, em termos sociais, a importância, o nome, a fama *das pessoas.*

---

[1] *Fernando Pessoa, Poète Pluriel*, Les Cahiers, ed. B. P. J., Centre Georges Pompidou, e Editions de la Différence, Paris, 1985. O texto do grande escritor argentino, datado de 2-1-1985, foi traduzido para francês por Annie Morvan; como não nos foi possível obter o original em língua castelhana, traduzimo-lo da versão francesa.

[2] Nomeadamente as traduções de *Tabacaria*, ed. Unes, Paris, 1985, ou de *O Banqueiro Anarquista*, Ed. de la Différence, Paris, 1985, bem como o livro de Maria Teresa Rita Lopes, *Fernando Pessoa, le Théatre de l'Être*, Ed. de la Différence, Paris, 1985.

[3] «Pessoa et Cie», *La Quinzaine Littéraire*, n.º 440, Paris, 13/16 de Maio de 1985, p. 11.

[4] «Fernando Pessoa, inconnu de lui-même», *Le Monde*, Paris, 19-4-1985.

[5] «Fernando Pessoa, Poète Pluriel», *Bulletin du Centre Georges Pompidou*, Paris, Março-Maio de 1985.

[6] «Chercher Pessoa», *L'Evenement du Jeudi*, Paris, 9-15 de Maio de 1985.

[7] «Le plus beau texte du monde», *Libération*, Paris, 11-12 de Maio de 1985.

Fernando Pessoa escreveu a maioria dos seus textos em português, língua pouco conhecida e divulgada, ainda por cima usando um estilo extremamente difícil para os tradutores em idiomas estrangeiros, que se vêem e desejam para conseguir transmitir minimamente a subtileza, a profundidade e a beleza da sua original linguagem poética. Por outro lado, não tirou um curso universitário, limitando-se a frequentar durante alguns meses o 1.º ano do Curso Superior de Letras; não foi académico, não pertenceu a um partido político, pouco editou em vida, não foi apoiado por qualquer organização editorial ou pelos meios de comunicação social.

Tendo vivido parte da infância e da adolescência na África do Sul, depois de se ter instalado definitivamente em Lisboa, em 1905, quando tinha 18 anos, nunca mais atravessou as fronteiras, para aquele banho de Europa e de Mundo que costuma considerar-se entre nós indispensável para quem queira ter nível e ser civilizado ou europeu. Ao contrário, sempre viveu modestamente e sem ambições, em quartos alugados na área restrita da baixa lisboeta, exceptuando um ou outro passeio ao Estoril ou a Cascais.

Porquê, então? Como foi possível?

Eis o convite que vos fazemos. Convite para a aventura apaixonante de ler a poesia de Fernando Pessoa, como se penetrando num continente surpreendente e misterioso. Convite para a navegação nos labirintos da sua personalidade múltipla, profunda e enigmática. Convite para a descoberta da fugidia unidade que se esconde por detrás das máscaras dos heterónimos. Convite para que cada um de vós, leitores, encontre a sua pessoal resposta para aquelas interrogações: porque foi este homem discreto, obscuro e sem títulos, este e não outro, de entre os Portugueses do século xx, escritores, artistas e cientistas, catedráticos, generais e políticos, o escolhido para representar o espírito português no mundo? E, mais do que isso, talvez o escolhido (pela eleição natural do génio) para representar a grande crise de identidade do homem moderno, dividido entre a força atávica ou subconsciente das suas raízes e tradições espirituais e a fragilidade da sua moderna estrutura intelectual, psicológica e moral, estilhaçada pela perda dos antigos valores e contudo incerta perante as ideias e as ideologias que se reclamam do futuro mas suscitam já, em todas as frentes, uma onda de cepticismo ou de dúvida.

Os citados críticos franceses, deslumbrados pelos sinais mais exteriores e espectaculares da personalidade literária de Fernando Pessoa, insistiram sobretudo nos aspectos inovadores e modernistas da sua obra, na questão intrigante dos heterónimos ou na inteligência prodigiosa de todos os seus escritos. Se ficássemos por aqui, no entanto, pouco avançaríamos no conhecimento da poética pessoana.

É que se Pessoa foi um inovador, foi também um expressor de

princípios e arquétipos que transcendem as categorias do tempo; se foi um moderno e um modernista, foi também um incansável pesquisador e assuntor do tradicional, do secreto, do mítico, do enigmático, do que se perdeu ou esqueceu e contudo está vivo, porque é talvez perene na cultura portuguesa e universal mais profunda; se, com a invenção dos heterónimos, exprimiu como ninguém a cisão psicológica e espiritual da alma humana, através do drama da sua própria alma, conflitualmente dividida em estratos sobrepostos, ao mesmo tempo nunca deixou de perseguir o nódulo interior ou o princípio de unidade, orientador da reconvergência possível, como telos ou fim último da gesta humana neste mundo de geração e de corrupção; e se a sua fulgurante inteligência analítica dá por vezes impressão de sofística ou dialéctica (tal a facilidade com que manipula os conceitos mais difíceis) há sempre nela, ao mesmo tempo, uma sinceridade, uma autenticidade, um pathos de sofrimento, de angústia e também de incansável determinação próxima da santidade intelectual, que dá grandeza heróica à sua obra, vista no seu conjunto como uma peregrinação sofrida e mantida para o absoluto ou mesmo para o divino, no paradigma fáustico, mas ultrapassando-o em momentos excepcionais de conhecimento merecido e alcançado.

A poesia, a que se deu e serviu como poucos, unindo indissoluvelmente a beleza da palavra, do símbolo e do verso à inteligência do mundo e à procura gnosiológica da verdade antropológica, cósmica e divina, foi-lhe, não um objectivo, mas uma via iniciática de conhecimento, se dermos um sentido muito lato ao conceito tradicional de iniciação.

Quanto à lírica, registando os seus estados de alma na luta quotidiana que travou consigo próprio, dá o testemunho lancinante da sua desadaptação à vida social, da sua solidão, da sua angústia, das suas ilusões e desilusões, da sua procura constante de uma transcendência do sentido e do vivido.

A poesia dos heterónimos, sobretudo a de Alberto Caeiro, de Álvaro Campos e de Ricardo Reis, com tudo o que projecta de lúdico ou de uma dialéctica de autognose e de jogo, exprime o drama em gente de um espírito que dividiu e analisou os seus tempos-seres, corporizando e animando tendências implícitas na riqueza múltipla da sua psique, como passos ou como estádios de uma operação hermética e alquímica em direcção àquele secreto Si, de que nos separam as máscaras da nossa personalidade exterior e social.

Na poesia de carácter propriamente iniciático, esotérico, religioso, místico ou anamnésico, transmitiu-nos simultaneamente uma aspiração para a verdade recôndita ou para o divino, além da matéria, da positividade do facto ou da fenomenologia social — e mais do que uma aspiração emocional e volitiva, por vezes, em momentos fulgurantes, um saber a que acedeu através dos caminhos reais do pensamento, da intuição, da meditação, das experiências gnósicas de uma relação pessoal com o transcendente.

Enfim, na poesia de carácter épico ou lírico-épico, procurou fundir-se com o colectivo nacional, assumiu em si toda a glória, toda a missão, toda a frustração e toda a dor do povo português no seu movimento histórico, nos seus valores peculiares, nos seus mitos, nas suas finalidades, na cifra de todo o seu destino, no seu futuro enigmático de obra sempre em aberto, aqui projectando uma des-subjectivação e uma des-personalização (contudo tocada às vezes de emoção incontida) que fazem da Mensagem e das odes mítico-proféticas um conjunto só comparável, no conjunto da literatura portuguesa, à epopeia camoniana. Note-se contudo que a simbólica destes poemas ganha todo o seu peso e todo o seu sentido mais genuíno no modo como, nunca se fechando ao restrito histórico-social, epocal e geográfico de um nacionalismo fechado, se abre ao universal, apresentando-nos heróis, mitos, arquétipos, situações-limite carregadas de destino, acontecimentos axiais puramente emblemáticos de uma misteriosa gesta providencial do divino através do humano, ou do humano suspenso de um eschaton final que tudo justificará, a esperança e o fracasso, a ilusão e o sofrimento, a glória e a angústia, a profecia de um futuro predeterminado no sonho do poeta e o seu adiamento até à Hora anunciada e prometida.

Mas para chegar ao acto culminante da criação poética, ao porto do poema acabado, quanta dor inenarrável, quanta luta com a besta e com o anjo!

Para podermos atingir o cerne da extraordinária poesia de Fernando Pessoa, aproximemo-nos agora um pouco mais, tanto quanto nos é possível e não é afinal muito, da sua vida e da sua humanidade...

2 — As raízes, a infância, a primeira adolescência

Filho de Maria Madalena Pinheiro Nogueira, de ascendência açoriana, e de Joaquim de Seabra Pessoa, homem culto e sensível, que foi crítico musical do Diário de Notícias, Fernando António Nogueira Pessoa nasceu em Lisboa, no Largo de S. Carlos, a 13 de Junho de 1888, portanto no dia de Santo António. Foi em homenagem ao taumaturgo franciscano, de seu nome no século Fernando de Bulhões (segundo uma tradição familiar, parente dos antepassados de Pessoa), que no baptismo recebeu os nomes próprios de Fernando António.

Os dois troncos familiares tinham «pergaminhos». No caso de Fernando Pessoa a genealogia (quase tanto como a sua biografia *pessoal)* não é indiferente para o melhor conhecimento dos seus traços psicológicos e das suas tendências intelectuais.

O poeta era oriundo, pelo lado da mãe, de uma família de pequena nobreza portuguesa e açoriana muito enraizada e até próxima da corte, visto que o seu avô materno, o conselheiro *Luís António Nogueira,* jurisconsulto ilustre, amigo do poeta *Tomás Ribeiro* e do político *Manuel de Arriaga,* fora director-geral do Ministério do Reino; a sua mãe, mulher inteligente, culta, falando várias línguas, um pouco intelectual e escrevendo mesmo versos ocasionais, aprendera inglês com o preceptor dos infantes D. Carlos e D. Afonso. É curioso que aquele mesmo avô (como numa prefiguração histriónica dos heterónimos) tinha queda para a representação teatral e para a imitação; por vezes imitava uma discussão entre vários interlocutores, com as respectivas vozes e ademanes[1]. A açorianidade desta linha materna pode detectar-se numa certa atmosfera insulada e também marítima da sua lírica e de algumas das suas odes. Uma tia-avó materna, *Maria Xavier Pinheiro,* casada com *Manuel Gualdino da Cunha,* era o tipo da mulher culta do século XVIII, sendo céptica em religião, aristocrática e monárquica[2], com dotes literários; Fernando Pessoa, que dela conservou um soneto copiado pela sua própria mão, era o seu favorito, tendo convivido muito com ela na infância.

Que o poeta tinha preocupações nobiliárquicas atesta-o o facto de ele próprio ter pintado o brasão da família Pessoa, que o acompanhou em todas as suas residências e quartos onde viveu, continuando hoje na posse da família. Este brasão é do lado paterno, figurando no Arquivo Heráldico Genealógico. O seu avô deste ramo era o general *Joaquim António de Araújo Pessoa,* condecorado com a Torre e Espada, tendo participado com grande distinção nas Guerras Liberais.

Por este lado lhe veio no entanto a ascendência judaica e daí talvez o cunho messiânico da sua inclinação sebastianista e visionária, através do seu 5.° avô, *Sancho Pessoa da Cunha,* natural de Montemor-o-Velho, tendo sido o seu 4.° avô, filho deste, *Gabriel Tavares Pessoa,* natural do Fundão, cristão-novo tomado pela Inquisição de Coimbra e condenado em Auto de Fé no ano de 1706[3].

---

1 «Notas sobre Fernando Pessoa», baseadas em dados fornecidos pelo próprio poeta a Armando Cortes-Rodrigues em 1914, e publicadas por Joel Serrão em «Apêndice» das *Cartas* já citadas, pp. 85 a 88.

2 *Ibid.*

3 Da «Árvore Genealógica de Fernando Pesoa», reproduzida in *Os Dois Exílios — Fernando Pessoa na África do Sul,* de H. D. Jennings, ed. do Centro de Estudos Pessoanos, Porto, 1984, p. 183. Texto elaborado por Mário Saa e encontrado pelo Prof. Jennings no espólio de Pessoa.

Raízes num Portugal antigo, açoriano e beirão, atavismos aristocráticos, ascendentes com dotes literários, *ao lado de outros com aura de prestígio e heroismo, uma linha messiânica-judaica, eis factores que efectivamente vamos encontrar nas entrelinhas da obra de Fernando Pessoa, mas que de pouco valeriam por si sós para explicar o seu caso literário e humano, se não conhecêssemos as circunstâncias peculiares da sua vida, sobretudo no período crucial da infância e da adolescência.*

No excelente ensaio que escreveu sobre Pessoa, Octavio Paz disse que os poetas não têm biografia, *porque a sua obra é a sua biografia, o que seria particularmente verdadeiro para o caso do autor da* Mensagem: Pessoa, que sempre duvidou da realidade deste mundo, aprovaria sem vacilar que eu fosse directamente aos seus poemas, esquecendo os incidentes e os acidentes da sua vida terrestre[1].

Como esquecer porém que, tanto como os acontecimentos exteriores e espectaculares, os acontecimentos interiores, por vezes aparentemente insignificantes, marcam e condicionam a vida das pessoas e o seu rumo? Qualquer psicólogo o sabe. Fracassamos ou triunfamos, ficamos pelo caminho ou vamos longe, às vezes por um nada, perdido no mar do inconsciente. A poesia, a arte, a filosofia, são qualquer coisa de objectivo, que se impõe por si próprio, que tem a sua vida própria, independentemente do autor. O conhecimento do homem, do terreno onde misteriosamente se implantou a semente do génio e da criação artística, ajuda-nos porém a entender melhor por que seguiu ele este ou aquele caminho, por que fez esta ou aquela opção, por que se tonalizou a sua obra neste ou naquele sentido.

Se pensarmos na importância decisiva dos acontecimentos interiores, *não poderemos pois dizer, como Octavio Paz, que os poetas, como Pessoa, não têm biografia. Ao contrário, a sua biografia é de tal forma marcante, que se torna óbvia, no seu caso, a interacção entre alguns eventos decisivos da sua existência, repercutindo profundamente na sua alma muito sensível, e as principais linhas de força ou mesmo as fundamentais decisões existenciais que caracterizaram a sua vida, a sua personalidade, a sua estrutura mental e a sua obra.*

Não esquecemos, claro, outros vectores, como não só o da hereditariedade, já observada, mas também o quid *irredutível e característico da sua individualidade e do seu génio, essa inexplicável multiplicação dos factores genéticos por uma variável indetectável*

---

[1] Octavio Paz, «El desconocido de si mesmo (Fernando Pessoa)», Paris, 1961, texto que constitui um dos capítulos do livro *Los Signos en rotacion y otros ensaios,* ed. Alianza Editorial, Madrid, 1971, p. 103.

e errática, superior às determinações sociais, por muitos e pelo próprio Fernando Pessoa antes considerada uma visitação do alto do que uma característica psicológica.

Este é um leit-motiv obsessivo (nascido sem dúvida de uma meditada experiência) do transcendente dos sonetos dos Passos da Cruz, publicados pelo autor em 1916, como o Soneto X, que principia: Aconteceu-me do alto do infinito / Esta vida...[1]; ou o Soneto XI: Não sou eu quem descrevo. Eu sou a tela / E oculta mão colora alguém em mim[2]. Ou ainda o Soneto XIII: Emissário de um rei desconhecido, / Eu cumpro informes instruções de além[3]. Pela mesma época escreveu também no seu poema sobre o Infante D. Henrique, incluído depois na Mensagem: Deus quere, o homem sonha, a obra nasce[4].

Mas toda a visitação depende do hóspede que a recebe; de se está ele aberto a recebê-la, de como a receberá, do que pode ou vai fazer dessas instruções de além que o irão guiar na sua peregrinação ou na sua questa...

Seja como for, a primeira infância de Fernando Pessoa foi uma época feliz, a que mais tarde se referiria sempre com saudade: No tempo em que festejavam o dia dos meus anos, / Eu era feliz e ninguém estava morto. / Na casa antiga, até eu fazer anos era uma tradição de há séculos, / E a alegria de todos, e a minha, estava certa como uma religião qualquer[5].

Foi a morte, inesperada e terrível, que veio transtornar e ensombrar o seu mundo infantil até aí sem problemas. Efectivamente em 1893, tinha o pequeno Fernando 6 anos, morreu-lhe o pai, tuberculoso. A viúva, com poucos recursos financeiros, viu-se então obrigada a fazer o leilão da mobília, mudando-se para uma casa mais modesta. Um ano depois, novo infortúnio, morreu também o seu irmão mais novo, Jorge, que ainda não completara um ano. Muito mais tarde, e por aqui podemos medir os traços profundos que estes acontecimentos, interiorizados em mutilação angustiosa, deixaram na sua alma, escreveria com pudor no mesmo poema, através da voz interposta de Álvaro de Campos: O que eu sou hoje (e a casa dos que me amaram treme através das minhas lágrimas). / O que eu sou hoje é terem vendido a casa. / É terem morrido todos, / É estar eu sobrevivente a mim mesmo como um fósforo frio...[6]

1 In Centauro, Lisboa, 1916. V. Poesia I, Publicações Europa-América, Lisboa, 1986.

2 Ibid.

3 Ibid.

4 V. Mensagem, p. 209.

5 De «Aniversário», in Poesias de Álvaro de Campos, Publicações Europa-América, Lisboa, 1986.

6 Ibid.

No ano da morte do seu pequeno irmão, em 1894, a sua mãe, a quem, órfão de pai, agora filho único, dedicava um amor obsessivo e apaixonado, conheceu o comandante João Miguel Rosa, cônsul interino de Portugal em Durban, casando-se por procuração, a 30 de Dezembro de 1895, e partindo imediatamente para a África do Sul para com ele se reunir, levando consigo o filho. Aqui viverá o poeta um pouco menos de dez anos, entre 1896 e 1905, data do seu regresso a Portugal.

Conhece-se hoje o que foi a sua vida na África do Sul, graças às primeiras investigações de João Gaspar Simões[1] e aos livros, muito documentados, que Alexandrino Severino[2] e H. D. Jennings[3] dedicaram a este período. Aqui estudou, primeiro no convento de West Street e depois no liceu de Durban, obtendo óptimas classificações e mesmo, em 1903, o Queen Victoria Memorial Prize, ensaio de inglês que redigiu para concorrer à Universidade do Cabo, obtendo a respectiva aprovação.

Não era porém já o filho único, não era já o menino da sua mãe, visto que esta teve sucessivamente cinco filhos do segundo marido, portanto seus meio-irmãos. Naturalmente, este impedimento da concentração exclusiva que até então lhe fora dedicada pela mãe repercutiu-lhe profundamente na alma, tornando-se uma criança e depois um jovem ensimesmado, solitário, introspectivo, melancólico, que procurou sucessivos escapes para esta situação, ressentida como de abandono e de dupla orfandade.

Se quiséssemos caracterizar os pólos da sua vida interior, nestes anos sul-africanos de Fernando Pessoa, apontaríamos antes de mais nada: o amor obsessivo e ciumento pela mãe, amor frustrado e «traído» pela partilha com o padrasto e com os irmãos; a fuga através de um interesse gradualmente crescente pela literatura e pela imersão em leituras que o afastavam de uma insatisfatória realidade familiar e quotidiana; os voos de uma imaginação fértil, com a criação de personalidades fictícias, desde um certo Chevalier de Pas dos meus seis anos, ainda oriundo da infância lisboeta, por quem escrevia cartas dele a mim mesmo[4], até aos primeiros pseudónimos ou já semi-heterónimos, autores de poemas e textos escritos ainda em inglês, como em especial Alexander Search, Charles Robert Anon, H. M. F. Lecher ou A. A. Crosse; e a saudade da terra natal, porventura confundida, ao nível do inconsciente,

1 Vida e Obra de Fernando Pessoa, Liv. Bertrand, Lisboa, 1950.
2 Fernando Pessoa na África do Sul, ed. Dom Quixote, Lisboa, 1984.
3 Os Dois Exílios, ob. cit.
4 De uma carta de Fernando Pessoa a Adolfo Casais Monteiro, datada de 13-1-1935, in Páginas de Doutrina Estética, Ed. Inquérito, Lisboa, 1946, p. 262.

com a saudade do pai, como pessoa próxima e querida, em seus laços nunca esquecidos de sangue e de ternura, e como figura arquétipa, insubstituída neste plano fundamental pelo padrasto.

Aparentemente, o jovem Fernando Pessoa adaptara-se bem ao ambiente. Em 1901 passara com brilho o seu primeiro exame, o Cape School Higher Certificate Examination. Pelo seu diário de 1903, sabemos que, aos 15 anos, com uma precocidade assombrosa, já lia Dickens, Shakespeare, Byron, Shelley, Voltaire, Molière, Tolstoi, Aristóteles e Guerra Junqueiro, entre outros. Não admira, pois, que nesse mesmo ano tivesse conquistado, entre 899 candidatos, ele um português, o referido Queen Victoria Memorial Prize, recebendo a seu pedido obras de John Keats, Ben Jonson, Tennyson e Edgar Allan Poe.

Contudo, os primeiros, incipientes poemas que escreveu revelam que não era assim ao nível emocional, desadaptado que afinal se sentia ao país de exílio, à nova família, à falta do pai e do ambiente da sua primeira infância.

A conhecida quadra «À minha querida mãe», escrita ainda em Lisboa, tinha Fernando Pessoa 7 anos, nas vésperas do casamento da mãe, da partida para a África do Sul e do abandono do país onde nascera e fora feliz, constitui uma patética declaração de amor e ao mesmo tempo um apelo lancinante: Ó terras de Portugal / Ó terras onde nasci / Por muito que goste delas / Inda gosto mais de ti[1].

Que sentido terá o poema que escreveu em 1903, em Durban, a partir do mote Não posso viver assim, quando mal fizera ainda 15 anos? Inédito até 1984, publicado pelo Prof. Jennings no seu livro, revela insatisfação, angústia e saudade... por quem? Talvez pelo pai perdido, desaparecido, morto no tempo feliz e mítico da infância: Mina-me o peito a saudade. / Haverá maior tormento / Que um veneno mais lento / Que turva a felicidade / Que vence a própria verdade / Que quase nos mata enfim? / Este que me fere a mim / Foi causado pela sorte / Foi cavado pela morte — / Não posso viver assim[2].

Em 1905, com 17 anos, quando tinha ao seu alcance o ingresso na Universidade do Cabo, eis que o chamamento da pátria, a atracção da terra mítica do pai, da terra onde ficara o pai que, esse, não o desiludira, é porém mais forte. Fernando Pessoa deixa a mãe, o padrasto, os irmãos, uma família que afinal era a sua e perante a qual não tinha problemas de monta, para regressar a Portugal com a intenção de se matricular no Curso Superior de Letras. Uma vez

---

1 João Gaspar Simões, *Vida e Obra de Fernando Pessoa*, ob. cit., p. 53.

2 Publicado pela primeira vez por H. D. Jennings in *Dois Exílios*, ob. cit., p. 203, juntamente com duas outras poesias do mesmo estilo.

em Lisboa, instala-se na casa de uma tia, a tia Anica, na Rua de
S. Bento. Viverá depois na casa da sua avó Dionísia, avó paterna,
que acabou por morrer louca, na Rua da Bela Vista à Lapa, e a
partir daqui em diversas casas e quartos alugados, onde se sentia
mais independente.

O Curso de Letras foi um fracasso. Sabe-se que o frequentou por
alguns meses, muito descontente com o ensino ali ministrado. Ten-
do sido um dos instigadores de uma greve de estudantes em 1907[1],
acabou por desistir, sem ter concluído o 1.º ano. Pouco depois, ten-
do recebido uma pequena herança da avó Dionísia, fundou uma tipo-
grafia, a Empresa Ibis-Tipografia e Editora, que redundou em no-
va frustração. Como ganhar a vida? O seu conhecimento perfeito
de inglês acabou por dar-lhe a solução, começando por aceitar al-
guns trabalhos de correspondência comercial nesta língua e aca-
bando por dedicar-se a este trabalho de uma forma profissional,
muito embora sem horários fixos. Nunca quis ganhar mais do que o
suficiente para conquistar, modestamente, a sua independência
económica.

Mas a sua vida, a sua verdadeira vida, foi outra: a vida literá-
ria, a poesia, a dedicação a causas que breve transcenderam a
simples expressão artística.

3 — O jovem poeta, seus problemas, seus valores, seus começos

Foi em 1901-1902, aos 13 ou 14 anos, que Fernando Pessoa escre-
veu os seus primeiros versos, naturalmente ingénuos e incipientes,
sobretudo em inglês, mas também alguns em português, estes por
influência da visita que fez a Portugal, entre Agosto de 1901 e Se-
tembro de 1902, data em que regressou à África do Sul. Nos anos
subsequentes escreveu unicamente em inglês, poesia, prosa e até
tentativas de romances.

Em 1908, contudo, mais maduro, mais consciente e de novo inte-
grado na vida lisboeta, principiou já a sério a escrever poesia em
português, num impulso súbito, vindo da leitura das «Folhas Caí-
das» e das «Flores sem Fruto», de Almeida Garrett[2]. Numa nota
manuscrita, o próprio poeta registou as suas principais influências
neste período crucial dos seus primeiros passos, entre 1908 e 1909,
isto é, entre os 20 e os 21 anos: sobretudo os poetas ingleses da épo-

---

[1] João Gaspar Simões, *Vida e Obra...*, ob. cit.
[2] «Notas sobre Fernando Pessoa», in *Cartas de Fernando Pessoa a Ar-*
mando Cortes-Rodrigues, ob. cit., p. 89.

ca romântica, Milton, Byron, Shelley, Keats, Tennyson e também Pope, Wordsworth e Edgar Poe, na prosa Thomas Carlyle, cujo notável livro sobre Os Heróis não deixará de influenciar mais tarde a Mensagem, registando também influências francesas, sobretudo de Baudelaire; mas Fernando Pessoa presta também uma atenção crescente aos portugueses, nomeadamente Antero de Quental, Guerra Junqueiro, Cesário Verde, José Duro, Henrique Rosa (o general Henrique Rosa, poeta e irmão do seu padrasto), e ainda Garrett, António Nobre, António Correia de Oliveira. É um pouco mais tarde, entre 1909 e 1912-1913, que dialogará com os simbolistas franceses, com Camilo Pessanha, com Teixeira de Pascoaes e os saudosistas, enfim com os futuristas[1].

Mais do que um literato, o Fernando Pessoa dos 20 anos é um jovem que se busca e que procura a sua identidade, dividido como se vê entre os traços da sua educação inglesa e a realidade portuguesa a que voltou por escolha consciente, entre a fidelidade à memória do pai (expressa no regresso a Lisboa) e a ligação umbilical mas torturada à mãe ausente, entre uma forte necessidade de afirmação pessoal e uma sensibilidade excessiva, doentia, saudosa, tornando-o frágil e desarmado, porque duplamente órfão, carecente de amor, sem raízes muito sólidas, na permanente ambiguidade dos seus dois exílios, na tese arguta do Prof. Jennings, pois se se sentia exilado na África do Sul, exilado se sente também em Lisboa, sozinho com as velhas tias, longe da família mais próxima.

As notas íntimas que nos deixou, escritas em inglês e principiando precisamente neste período, subsequente ao seu regresso definitivo a Portugal, são elucidativas. Na primeira, talvez de 1906, fala da mais antiga alimentação literária da minha infância, isto é, das numerosas novelas de mistério e de horrível aventura, que lhe interessavam muito mais do que os chamados livros para rapazes. O seu interesse não ia para o provável, mas para o incrível ou até para o impossível por natureza. Daí um grande amor pelo espiritual, pelo misterioso, pelo obscuro, a que seria necessário acrescentar uma tendência inata para a mistificação, para a mentira artística[2].

Em tais direcções trabalhava a imaginação, funcionando como uma fuga e uma compensação, do jovem acabado de chegar a Lisboa. Prefiguram-se já aqui, sem dúvida, algumas das principais linhas de força do futuro grande poeta, vindo a culminar o seu amor

---

[1] «Notas sobre Fernando Pessoa», in Cartas de Fernando Pessoa a Armando Cortes-Rodrigues, ob. cit., pp. 91 e 92.

[2] Páginas Íntimas e de Auto-Interpretação, ed. Ática, Lisboa, 1966, pp. 11 e 12. Estas e outras traduções dos textos ingleses de Pessoa são da responsabilidade do organizador e prefaciador.

pelo espiritual, pelo misterioso, pelo obscuro *nos grandes poemas esotéricos e místicos, enquanto na tendência* para a mistificação, para a mentira artística, *germina já o sábio e significativo poema que principia* O poeta é um fingidor, *bem como a ficção dos heterónimos.*

O seu semi-heterónimo favorito deste período, poeta e pensador, chama-se Alexander Search, o que significa precisamente Alexandre Busca, *alusão directa à busca de si próprio e da verdade, que o preocupa acima de tudo. Os poemas em nome de Search, escritos principalmente entre 1905 e 1908, estão ainda mal estudados e ainda não foram vertidos, na sua maioria, para português. Revelam no entanto já, com uma sensação de estranheza perante o mundo e o ser, um profundo sentido de interrogação metafísica, de busca do conhecimento e da verdade, para lá das aparências enganadoras. Sem dúvida o mais interessante e o mais denso é o que, datado também de 1906, o poeta intitulou «To a Hand», isto é, «A uma Mão».*

Poema escrito num inglês arcaizante, difícil e filosófico, não é de fácil tradução. A mão que o poeta contempla, toca e interroga funciona como um catalisador para toda uma procura ontológica, para uma sondagem do mistério das coisas, através de algo tão simples e afinal tão complexo como uma mão humana, a tua e a minha. A tua mão tem um sentido que tu não conheces / Um sentido mais fundo do que os humanos medos[1], *diz Search. Ou ainda:* Todas as coisas projectam mistério para o meu espírito / Mas a tua mão ainda mais...[2]

É o mesmo Alexander Search, do «Inferno, Nenhures», que, um ano depois, exprimindo afinal os mais elevados valores éticos (a que Pessoa seria sempre fiel), assina um estranho pacto com Jacob Satanás, senhor, embora não rei do mesmo lugar:

1 — Nunca abandonar ou afastar-se do propósito de fazer bem à humanidade.
2 — Nunca escrever coisas, sensuais ou de qualquer outro modo maléficas, que possam servir para detrimento ou para o prejuízo dos leitores.
3 — Nunca esquecer, ao atacar a religião em nome da verdade, que a religião só deficientemente pode ser substituída e que o pobre homem está chorando na escuridão.
4 — Nunca esquecer o sofrimento e a dor dos homens[3].

---

[1] In «Anexos», publicados em apêndice no livro de Yvette K. Centeno *Fernando Pessoa: o Amor, a Morte, a Iniciação,* ed. A Regra do Jogo, Lisboa, 1985, p. 87. Poema datado de Janeiro de 1906. Tradução do inglês.
[2] *Ibid.,* p. 93.
[3] *Páginas Íntimas, ob. cit.,* p. 10. Texto datado de 2 de Outubro de 1907. Traduzido do inglês.

Eleva-se ao mesmo tempo, da solidão, da aspiração e do génio nascente deste jovem estranho, escrevendo para si próprio, um idealismo, um movimento de levitação, uma subida para o alto, um desejo de criação e de transcendência, desde logo assim denunciados, ainda em 1907: Tenho pensamentos que, se os pudesse concretizar e fazer viver, acrescentariam uma nova claridade às estrelas, uma nova beleza ao mundo e um amor maior ao coração dos homens[1]...

Perturbadoras são no entanto a sua insegurança, a sua fragilidade, a sua solidão e uma tendência naturalmente amorável, que lhe parece em contradição com o seu egoísmo ou egocentrismo. Nunca existiu uma alma mais amorável ou meiga do que a minha, nenhuma alma tão cheia de ternura e de amor. No entanto nenhuma alma é tão solitária — não solitária, note-se, pelo exterior, mas por circunstâncias interiores. *E depois:* ao lado da minha grande ternura e bondade, um elemento de género inteiramente oposto entrou no meu carácter, um elemento de tristeza, de egocentrismo, de egoísmo...[2]

Desta contradição, ressentida por vezes de forma neurótica, entre uma predisposição para o amor, naturalmente frustrada num jovem em situação de «dupla orfandade», e um egoísmo ou egocentrismo filho da própria solitude, terão provindo as suas complicações mentais, *o medo da loucura que em si próprio é já loucura[3], que confessa numa página de 1908.*

Mas o jovem Pessoa não estava unicamente centrado sobre si próprio, visto que o amor à pátria, a Portugal, o fez sair de si, identificar-se com o colectivo nacional, com a história do seu país e com o seu futuro. É um leit-motiv *que atravessará toda a sua obra desde então, talvez o aspecto mais afirmativo e mais firme que ele revela através de todas as voltas labirínticas e vicissitudes, culminando em sublimação com a* Mensagem *(cujos poemas foram sendo escritos entre 1913 e 1934) e em desânimo com a angustiada «Elegia na sombra», que todavia exprime também o intenso sofrimento patriótico logo expresso noutra nota íntima do mesmo ano.*

O meu sofrimento patriótico, *escreve efectivamente Fernando Pessoa nesse mesmo ano,* o meu intenso desejo de melhorar a condição de Portugal provoca em mim — como dizer com que calor, com que intensidade, com que sinceridade! — um milhar de planos que, mesmo se um único homem pudesse realizá-los, deveria ter

---

[1] *Páginas Íntimas, ob. cit.,* pp. 9 e 10. Texto datado de 1907 (?). Traduzido do inglês.

[2] *Ibid.,* p. 3. Texto datado de 30-10-1908 (?). Traduzido do inglês.

[3] *Ibid.*

uma característica que em mim é puramente negativa — a força de vontade. Mas eu sofro — juro que até ao próprio limite da loucura — como se fosse capaz de tudo fazer e não o pudesse por deficiência da vontade. O sofrimento é horrível. Mantém-me constantemente, posso dizê-lo, à beira da loucura. E ainda por cima incompreendido. Ninguém suspeita do meu amor patriótico, mais intenso do que o de toda a gente que encontro, do que o de toda a gente que conheço.

Mais adiante: o calor, a intensidade — terna, revoltada e ansiosa do meu [patriotismo], nunca o saberei exprimir... *Daqui, toda uma série de projectos patrióticos:* escrever a «República Portuguesa» — provocar uma revolução, escrever panfletos portugueses, editar obras literárias antigas, criar um magazine, uma revista científica, etc., *e estes e muitos outros planos* combinam-se para produzir um excesso de impulso que paralisa o meu pensamento. Não sei se o sofrimento que isto produz pode ser descrito como pertencendo a este lado da saúde mental[1].

Entretanto, lendo tudo quanto pode, escrevendo poesia metafísica sob o nome de Alexander Search, auto-analisando-se e procurando definir a sua própria identidade, lutando contra os seus traumas e cisões internas, exaltando-se com a condição portuguesa e idealizando projectos de redenção nacional, o jovem Fernando Pessoa vai-se instalando na cidade, habituando-se aos quartos solitários de família ou alugados, frequentando os cafés da Baixa, sem nunca deixar de olhar para as estrelas, para os homens e para o mundo, aos quais quereria dar mais claridade, mais beleza e mais amor.

Mais tarde, pela mão do seu semi-heterónimo Bernardo Soares, no Livro do Desassossego, *descreverá os pequenos mundos banais da sua existência quotidiana, marchando anónimo nas artérias populosas da cidade, almoçando em casas de pasto e restaurantes baratos, trocando breves palavras de cortesia com os comensais e os transeuntes encontrados por acaso, parando a olhar uma montra, levando a tradução de uma carta de negócios a uma casa comercial. Uma vida sem história? Uma existência monótona? Ao contrário,* sábio é quem monotoniza a existência pois então cada pequeno incidente tem um privilégio de maravilha[2].

Aliás, também há universo na Rua dos Douradores. Também aqui Deus concede que não falte o enigma de viver [...] Algures sem dúvida é que os poentes são. Mas até deste quarto andar sobre a cidade se pode pensar no infinito. Um infinito com armazéns em baixo, é certo, mas com estrelas ao fim[3].

---

[1] *Páginas Íntimas, ob. cit.,* pp. 4 e 5. Traduzido do inglês.
[2] Bernardo Soares, *Livro do Desassossego,* I vol., ed. Ática, Lisboa, 1982.
[3] *Ibid.*

Entre 1908 e 1911, Fernando Pessoa procura o seu caminho poético. Expressão obsessiva do seu pathos ensimesmado, melancólico, desgarrado pelos sentimentos de abandono e de ausência, *como nos seus poemas «Dolora», «Estados de Alma», «Tédio», ou no que principia* Não sei o que desgosta / A minha alma doente[1], *esteticismo requintado dos sonetos reunidos sob a epígrafe de* Em busca da beleza, *mas sempre sofrido pela sensação de que falhar os seus sonhos e ilusões é* encontrar mais vazio o coração[2], *dão-nos a ideia de um grande talento num espírito inquieto e descrente de si próprio. Mesmo um poema tão belo como «Visão», depois de abrir de uma forma feérica,* Há um país imenso mais real / Do que a vida que o mundo mostra ter, *conclui pelo panorama de pesadelo, de um país* hirtamente silente nos espaços / Uma floresta de escarnados braços / Inutilmente erguidos para o céu[3].

O ano de 1912, porém, ano em que não escreve, tanto quanto sabemos, nenhuma poesia, é decisivo na sua vida e na formação da sua personalidade.

É antes de mais nada o ano em que se funda no Porto a Renascença Portuguesa, tendo como órgão A Águia. É o ano da sua estreia literária, precisamente nas páginas desta revista, dirigida por Teixeira de Pascoaes. É o ano em que conhece Mário de Sá-Carneiro e em que principia a formar-se o grupo mais tarde reunido em volta da revista Orpheu. E é o ano, sem dúvida devido ao estímulo desta entrada (muito notada) na vida intelectual portuguesa e ao convívio daí decorrido, em que Fernando Pessoa, conseguindo superar as suas inibições, dúvidas e sentimentos angustiosos, embora não os vencendo por completo, dá os primeiros passos nos caminhos que conduzirão ao essencial da sua obra literária.

A sociedade cultural da Renascença Portuguesa, fundada no Porto em 1911 por um grupo de intelectuais republicanos, encabeçados por Teixeira de Pascoaes, Leonardo Coimbra, Jaime Cortesão, Augusto Casimiro e Álvaro Pinto, propunha-se lançar um vasto movimento de ideias de orientação espiritualista e regeneracionista. Escrevendo a Miguel de Unamuno a 23 de Setembro desse mesmo ano (menos de um mês depois da primeira reunião dos seus

---

[1] Poema sem título, de 26-7-1910, v. *Poesia I*, Publicações Europa-América, *ob. cit.*

[2] *Em busca da beleza*, de 27-2-1909, do Soneto IV, v. *Poesia I, ob. cit.*

[3] De «Visão», poema de 5-3-1910, v. *Poesia I, ob. cit.*

fundadores em Coimbra), dizia Pascoaes que o seu fim era revelar «a alma lusitana», integrá-la nas suas qualidades essenciais e originárias[1].

Uma série de iniciativas sem precedente cultural entre nós decorreram da iniciativa: publicação da II série da revista A Águia *(a I série iniciara-se em 1910), sob a direcção literária de Pascoaes, artística de António Carneiro e científica de José de Magalhães, agora como órgão da Renascença; fundação de uma Universidade Popular, que viria a ter fecunda actividade; publicação de um quinzenário,* A Vida Portuguesa, *dirigido por Cortesão; e uma larga actividade editorial e de conferências em várias cidades do País.*

No artigo de fundo do primeiro número da nova série de A Águia, *de Janeiro de 1912, escrevia Teixeira de Pascoaes que é preciso* chamar a nossa raça desperta à sua própria realidade essencial, ao sentido da sua própria vida, para que ela saiba quem é e o que deseja. E então poderá realizar a sua obra de perfeição social, de amor e de justiça, e poderá gritar entre os Povos: *Renasci*[2].

E ainda: Sim: — a alma portuguesa existe, e o seu perfil é eterno e original. *Existe, mas tem de ser revelada aos Portugueses, na* sua maior parte afastados dela, pelas más influências literárias, políticas e religiosas vindas do estrangeiro.

Subjacente à doutrinação da Renascença e ao pensamento dos seus principais mentores, Leonardo, Pascoaes e Cortesão, estava a luta contra o positivismo, vigorosamente iniciada nas hostes republicanas por Sampaio Bruno, mas prejudicada pelo êxito político da tendência galicista, iluminista e comtiana. Os homens da Renascença eram espiritualistas e nacionalistas, dividindo-se no entanto quanto ao conteúdo das suas ideias religiosas. O caso de Pascoaes era singular, quando preconizava uma religião lusitana ou saudosista, síntese de cristianismo popular, de paganismo panteísta e de pensamento português implícito ou virtualmente em suspenso nas nossas línguas, poesia, história, tradições, etnografia ou até direito consuetudinário.

No segundo número de A Águia, *o autor da Vida Etérea afirmava que* a alma da raça é a Saudade [...], *estado de alma latente que amanhã será* Consciência e Civilização Lusitana. *Combatendo o* preconceito do senso prático *(afirmação que esteve na origem da posterior dissidência de António Sérgio), inimigo de toda a audácia fecunda, de todo o ímpeto heróico, de todo o gesto criador, o poeta*

---

[1] *Epistolário Ibérico — Cartas de Pascoaes a Unamuno*, ed. da Câmara Municipal de Nova Lisboa, 1957, p. 14.

[2] *A Águia*, II série, n.º 1, Janeiro de 1912, p. 1.

sublinhava de novo o seu propósito: implantar a alma portuguesa na terra portuguesa para que Portugal exista como Pátria, porque uma pátria é de natureza puramente espiritual e as únicas forças invencíveis são as forças do Espírito[1].

Esta doutrina atraiu Fernando Pessoa, que, nela encontrando sintonia com o intenso sofrimento patriótico *expresso no seu diário de 1908, imediatamente lhe aderiu. Num texto sem data, encontrado no espólio e publicado por Joel Serrão, escrevia com entusiasmo:* A divinização da Saudade. Pascoaes está criando maiores coisas, talvez do que ele próprio mede e julga. A alma lusitana está grávida de divino[2].

Com início no n.º 4 de A Águia, de Abril de 1912, foi com uma série de cinco estudos sobre o que chamou a nova poesia portuguesa *que Fernando Pessoa fez a sua estreia pública como escritor. Comentando com argúcia alguns poemas ou versos significativos de Pascoaes, de Cortesão, de Mário Beirão ou de António Correia de Oliveira, o jovem Fernando Pessoa (então com 24 anos), situava eruditamente a poética do saudosismo, que definiu em termos de* transcendentalismo panteísta, *face à evolução da poesia europeia e às suas correntes actuais, afirmando sem rebuço que,* examinados os dados sociológicos do problema, salta aos olhos a inevitável conclusão. É ela a mais extraordinária, a mais consoladora, a mais estonteante que se possa ousar esperar. É ela de ordem a coincidir absolutamente com aquelas intuições proféticas do poeta Teixeira de Pascoaes sobre *a futura civilização lusitana,* sobre o *futuro glorioso* que espera a Pátria Portuguesa. Tudo isso, que a fé e a intuição dos místicos deu a Teixeira de Pascoaes, vai o nosso raciocínio matematicamente confirmar[3].

Como se vê, trata-se realmente de uma adesão. Na sequência dos artigos (bem como na réplica a um comentário de Adolfo Coelho, desprimoroso para as ideias de A Águia[4]), Pessoa, sempre baseando-se no valor intrínseco, na originalidade, no pensamento e na direcção espiritual dos poetas e filósofos da Renascença Portuguesa, entre os quais se contava, concluía que para Portugal se prepara um ressurgimento assombroso, um período de criação lite-

---

[1] *A Águia,* II série, n.º 2, Fevereiro de 1912, pp. 33 e 34.

[2] Fernando Pessoa, *Sobre Portugal,* ed. Ática, Lisboa, 1979, p. 177.

[3] De *A Águia,* II série, n.º 4, Abril de 1912, texto, este e os seguintes, reproduzido in Fernando Pessoa, *Textos de Crítica e Intervenção,* Lisboa, 1980, pp. 21 e 22.

[4] Em resposta ao «Inquérito Literário» de Boavida Portugal no jornal *República* e baseando-se nos artigos de Fernando Pessoa, o Prof. Adolfo Coelho acusava de *megalomania* os poetas da *Águia.* Pessoa replica-lhe no mesmo jornal, a 21-9-1912, texto reproduzido em *Textos de Crítica e Intervenção, ob. cit.*

rária e social como poucos o mundo tem tido[1], *que se a alma portuguesa, representada pelos seus poetas, encarna neste momento a
alma recém-nada da futura civilização europeia, é que essa futura
civilização será uma civilização lusitana*[2], *e que está para breve* o
aparecimento na nossa terra de um Supra-Camões[3], *do poeta supremo da nossa raça, o mesmo é dizer,* o poeta supremo da Europa
de todos os tempos[4]. *E acrescentava:* É um arrojo dizer isto? Mas
o raciocínio assim o quer.

A série de artigos fechava com uma profecia: E a nossa grande
Raça partirá em busca de uma Índia nova, que não existe no espaço, em naus que são construídas «daquilo de que os sonhos são feitos». E o seu verdadeiro e supremo destino, de que a obra dos
navegadores foi o obscuro e carnal ante-arremedo, realizar-se-á
divinamente[5].

*Sem dúvida, podemos ver nestas palavras incendiadas, nesta
profecia à P.*e *António Vieira, sinal de um profundo amor patriótico
e de um impetuoso desejo de regeneração nacional, o germe da
Mensagem. O Supra-Camões seria naturalmente ele próprio, Pessoa, destinado a levar mais longe, agora com plena consciência,
aquilo que Camões prefigurou e que Teixeira de Pascoaes intuitivamente quis fazer.*

Para tanto ser-lhe-ia necessário no entanto escrever um novo Os
Lusíadas, *sublimando tudo quanto de frustrado sucedeu à pátria
portuguesa depois da batalha de Alcácer Quibir (nas vésperas da
qual e como incitamento a D. Sebastião escrevera Camões a epopeia) ou até mais do que isso, sublimando pela alquimia do verbo,
pelo mito e pelo ritual poético, todo o fracasso que, a par de lampe-
jos gloriosos, o ser de Portugal sofreu ao longo dos tempos, de forma a obter uma áurea transmutação final.*

A Mensagem *está longe de ser uma apologia. É antes uma dupla
tentativa de intervenção pela palavra mágica ou pela poïesis, e de
compreensão espectral das vias labirínticas e misteriosas da Providência, detectando no espaço do destino português os seus sinais
proféticos e os seus fulgores, assumindo toda a sua positividade e
toda a sua abertura possível à esperança, mas sem esquecer a sua
negatividade e os seus bloqueios e concluindo com um lamento,
com uma prece ritual (final da II parte,* Mar Português, *que principia,* Senhor, a noite veio e a alma é vil[6]*) e com uma exortação míti-*

---

[1] *Textos de Crítica e Intervenção, ob. cit.*, p. 40.
[2] *Ibid.,* pp. 71 e 72.
[3] *Ibid.,* p. 40.
[4] *Ibid.,* p. 72.
[5] *Ibid.,* p. 74.
[6] *Mensagem e Outros Poemas Afins,* Publicações Europa-América, Lisboa, 1986, p. 115.

ca e encantatória (final da III parte, O Encoberto), que assim termina, Ó Portugal, hoje és nevoeiro... / É a hora!)[1]

Tal o caminho percorrido pelo poeta desde as afirmações publicadas exaltadamente na Águia. Foi sem dúvida com estas afirmações que Pessoa iniciou o processo de meditação sobre Portugal e a portugalidade, que o acompanharia durante toda a vida, e que, amadurecido, o levaria à Mensagem e às Odes sobre o Presidente--Rei Sidónio Pais e sobre o Quinto Império.

Praticamente, a Mensagem começou a ser escrita em 1913 com o projecto de um livro que se intitularia Gládio e do qual parece só ter escrito o poema com esse nome, depois nela integrado com o título de D. Fernando, Infante de Portugal. Menos de um ano mediou entre o fecho profético dos artigos da Águia, E a nossa grande Raça partirá em busca de uma Índia nova, e a composição de Gládio. Um ano de fidelidade, mas também de experiência e de maturação, porque agora o poeta toma consciência das resistências que a própria existência social oferece ao imaginário mítico e escatológico que subjaz às profecias, como a sua ou como, antes dele, as de Bandarra ou do P.e António Vieira, que estuda minuciosamente; resistências da vida social, resistências do tecido cultural português, resistências talvez do próprio Deus ou dos Deuses, com os seus obstáculos, que são porventura provas iniciáticas ou desafios ao heroísmo e à santidade dos homens.

«Gládio», que virá, et pour cause, a ser apresentado como um auto-retrato do Infante Santo, é também uma auto-afirmação e um juramento do próprio Fernando Pessoa. Juramento de que a sua vida será uma guerra santa, uma gihâd na expressão islâmica, um combate por Deus e com Deus, sendo a pena o gládio do poeta, missionado como um cavaleiro antigo, um cavaleiro-monge, um templário, para levar a cabo uma empresa divina. Deu-me Deus o seu gládio, porque eu faça / A sua santa guerra[2], assim principia efectivamente o poema. A esta luz, a derrota ou a desgraça nunca o são verdadeiramente, porque a Providência é insondável, Deus escreve direito por linhas tortas, e o que importa, no fim, é cumprir os mandamentos do alto, que eles por si próprios se justificarão um dia. Por isso, assim termina o poema: Cheio de Deus, não temo o que virá, / Pois, venha o que vier, nunca será / Maior do que a minha alma.

Cheia de Deus, a alma humana é superior ao que aparentemente se nos apresenta como derrota, fracasso ou martírio. Na economia da Mensagem, o modelo do Infante Santo corresponde à segun-

---

[1] Mensagem e Outros Poemas Afins, Publicações Europa-América, 1986, p. 123.

[2] Ibid., p. 105.

da quina de Portugal, ou chaga que afinal é potencialmente reden-
tora, como as restantes quinas ou chagas no paradigma das chagas
de Cristo: D. Duarte, Rei de Portugal; D. Pedro, Regente de Portu-
gal; D. João, Infante de Portugal; e por último D. Sebastião, Rei de
Portugal. O sangue dos Portugueses, como as lágrimas das suas
mães, sal português do mar salgado, não significam glória nem
derrota, mas tão-só o caminhar doloroso na via labiríntica de todo
um povo, na sua demanda do Graal ou da redenção, se este o assu-
mir, com o poeta, como o que valeu a pena se a alma não é pequena, *pois* Quem quere passar além do Bojador / Tem que passar
além da dor[1].

Tão poderosas foram em Fernando Pessoa a concepção mítico-
-providencialista da história humana, a consciência cavaleiresca
da existência projectada no espaço sagrado português, a dialéctica
do destino ou da necessidade e da liberdade, que nunca cessou de
as meditar emotivamente e de as nomear de vários modos em di-
versos momentos da sua vida e obra, como no famoso Soneto XIII
do ciclo Os Passos da Cruz, *que assim principia:* Emissário de um
rei desconhecido, / Eu cumpro informes instruções de além...[2]

No entanto, se a Mensagem *se nos apresenta hoje como tendo*
um valor universalista, para muitos superior ao da epopeia camo-
niana, é devido não só ao seu conteúdo de reflexão e de emoção
mas também ao seu sentido estóico, messiânico-cristão, cavalei-
resco e arturiano da existência dedicada e sofrida como missão,
bordada sobre situações-limite míticas e figuras arquétipas que
acabam por transcender as suas determinações temporais e
histórico-sociais, valendo portanto para todas as nações e épocas.

Ao distinguirem as fontes mitológicas-clássicas, júdeo-cristãs,
arturianas, sebastianistas e esotéricas de Mensagem, *observaram*
na verdade duas intérpretes das bandas orientais, Linda S. Chang e
Lorie Ishimatsu, que a confluência de tais tradições no poema não
é caótica mas universalizante[3].

---

[1] *Mensagem e Outros Poemas Afins,* Publicações Europa-América, 1986,
p. 114.

[2] *Poesia I,* Publicações Europa-América, Lisboa, 1986.

[3] «O Poeta como Celebrante: o Ritual Épico na 'Mensagem'», comunicação ao Simpósio Internacional sobre Fernando Pessoa, na Universidade Vanderbilt, em Nashville, E. U. A., em Abril de 1983, *Actas* publicadas pelo Centro de Estudos Pessoanos, Porto, 1985.

5 — A dissidência de «A Águia» e a «decisão de ser Eu»

Fernando Pessoa *ficou sempre fiel, a nosso ver, aos ideais lusitanistas de Pascoaes e dos homens da* Águia, *como eles tudo fazendo para criar ou fomentar* um conceito português de vida[1]. *As discordâncias que como era de esperar não tardaram a surgir não teriam afectado a colaboração mútua (apesar do contraste entre a* religião saudosista *de um e a* religião sebastianista *do outro), não tivessem surgido factores secundários, mas influentes, a separar os dois grandes poetas.*

Entre Pascoaes e Pessoa havia, além de mais, diferenças de formação, de estilo e de temperamento. O primeiro, apesar de elogiado pelo segundo, nunca o acompanhou na sua dialéctica raciocinante. Além disso, depois do encontro com Mário de Sá-Carneiro e com outros jovens poetas e artistas lisboetas, obedecendo aliás à sua própria multiplicidade interior, Pessoa começou a ampliar os seus horizontes por campos muito diversos daqueles que mais interessavam aos poetas da Águia. *A sua insatisfação, o seu dinamismo interior, levavam-no ao interesse pelas experiências modernistas, pela elaboração de novas formas literárias, pela intervenção cada vez mais activa e provocatória na vida portuguesa.*

Por momentos convergiram na Águia *os espíritos porventura mais poderosos do século XX português, sem que seja possível falar-se em hierarquia de valores entre eles. Pessoa, escritor mais actual, assumindo em si a grande cisão interior e a crise de identidade do homem moderno, ultrapassou as fronteiras e a sua obra chegou aos nossos dias com frescura e actualidade. Esquecem-se hoje muitos, no entanto, de que Pascoaes foi proposto para o Prémio Nobel por grupos de intelectuais estrangeiros, tendo-se criado nalguns países europeus círculos para o estudo da sua obra e tendo-lhe dedicado Unamuno, por exemplo, páginas de apaixonada análise. Quanto a Leonardo Coimbra, desempenhando em Portugal o papel do seu contemporâneo Ortega y Gasset em Espanha (tendo sido por duas vezes ministro da Instrução e tendo ideado um sistema filosófico a nosso ver muito superior ao ensaísmo filosófico orteguiano), o seu magistério e a sua obra estão na origem de toda a filosofia portuguesa das gerações posteriores, até aos nossos dias.*

Em 1912 funda-se a Renascença Portuguesa. Começa a sair a II série de A Águia. *Teixeira de Pascoaes publica* O Regresso ao Paraíso *e as* Elegias. *Leonardo Coimbra,* O Criacionismo. *Fernando Pessoa, os ensaios sobre* A Nova Poesia Portuguesa. *Ano*

---

1 F. Pessoa, *Da República*, ed. Ática, Lisboa, 1978, p. 201.

fasto, ano fundador, em que o convívio deste último com Mário de Sá-Carneiro, Armando Cortes-Rodrigues e outros jovens poetas terá inesperadas consequências.

No ano seguinte, contudo, Fernando Pessoa, apesar de projectar a publicação de um panfleto em defesa da Renascença Portuguesa, escreve para a revista Teatro um artigo de violenta crítica a um dos seus colaboradores, o poeta Afonso Lopes Vieira, a propósito do seu Bartolomeu Marinheiro. *Mas é nos finais de 1914 que, devido ao desinteresse da Águia em publicar o seu «drama estático» O Marinheiro, que Pessoa se ofende e rompe com o grupo de Pascoaes, escrevendo a Álvaro Pinto, secretário da revista, que sei bem a pouca simpatia que o meu trabalho propriamente literário obtém da maioria daqueles meus amigos e conhecidos, cuja orientação de espírito é lusitanista ou saudosista; e, mesmo que não soubesse por eles mo dizerem ou sem querer o deixarem perceber, eu a priori saberia isso, porque a mera análise comparada dos estados psíquicos que produzem, uns o saudosismo e o lusitanismo, outras obras literárias no género da minha e da (por exemplo) do Mário de Sá-Carneiro, me dá como radical e inevitável a incompatibilidade de aqueles para com estes*[1].

Pedia Fernando Pessoa ao seu interlocutor que não visse nas suas palavras a mínima sombra de despeito ou, propriamente, desapontamento, mas a verdade é que o próprio tom da carta é magoado. A sensibilidade do poeta, que tanto tinha defendido a Renáscença, até polemicamente, estava na verdade ferida. Mas o certo é que uma obra como O Marinheiro não podia deixar de afrontar ou chocar a estética dos poetas da Águia.

É que ao longo do ano de 1913, com o grupo dos seus novos amigos, Fernando Pessoa lança-se em caminhos imprevistos, criando e lançando correntes literárias, estéticas, estilos, a começar pelo paúlismo, baseado nos poemas «Impressões do crepúsculo»[2] *e «Hora absurda»*[3]*, que segundo João Gaspar Simões conteria verdadeiramente os elementos poéticos da* nova poesia portuguesa, *sendo uma espécie de intelectualização requintada do saudosismo.*

O paúlismo — *cujo poema-manifesto começava:* Pauis de roçarem ânsias pela minh'alma em ouro.../ Dobre longínquo de Outros Sinos... Empalideceu o louro / Trigo na cinza do poente...[4] — *é re-*

---

[1] De «Vinte Cartas de Fernando Pessoa», *in* revista O Ocidente, vol. XXIV, n.º 80, 1944, p. 316.

[2] Poema de 29 de Março de 1913, v. *Poesia I*, Publicações Europa-América, *ob. cit.*

[3] Poema de 4 de Julho de 1913, *ob. cit.*

[4] De *Impressões do Crepúsculo*, v. *Poesia I*, Publicações Europa-América, *ob. cit.*

cebido com entusiasmo pelos membros do grupo, vendo nele uma
corrente inovadora ou revolucionária na poesia moderna portugue-
sa. Mas logo, do paúlismo, *derivou outra corrente, o* interseccionismo, *cuja melhor expressão foi a «Chuva Oblíqua». Mais tarde sur-*
giria ainda o sensacionismo, *baseado na teoria de que* a única realidade da vida é a sensação. A única realidade da arte é consciência
da sensação[1].

Eram sinceras todas estas correntes? Na realidade, viria a es-
crever Pessoa que todo o poeta é um fingidor, *mas um fingidor en-*
raizado numa autenticidade intransferível para qualquer simplismo
reducionista. Pessoa sentia dentro de si um rumorejar de vozes,
um pluralismo de disposições e de inclinações, que o obrigavam
à *variedade de uma multiexpressão intelectual e estética.*

Delas tinha no entanto má consciência, pois não encontrara ainda
o fio da sua unidade fundamental, para lá de aparente dispersão.
Numa página solta, datada de 21 de Novembro de 1914, escrevia
efectivamente, numa espécie de reivindicação do direito a ter
uma personalidade coerente e unitária: Hoje, ao tomar de vez a
decisão de ser Eu, de viver à altura do meu mister, e por isso de
desprezar a ideia do reclame, a plebeia socialização de mim, do
Interseccionismo, reentrei de vez, de volta da minha viagem de
impressões pelos outros, na plena posse do meu Génio e na divina
consciência da minha Missão. Hoje só me quero tal qual meu carácter nato quer eu seja; e meu Génio, com ele nascido, me impõe
que eu não deixe de ser[2].

E, dirigindo-se a Armando Cortes-Rodrigues, seu amigo e com-
panheiro de tertúlia nos cafés lisboetas, mas retirado para os Aço-
res, explanava a sua tese de que tais correntes se tinham justifica-
do pela urgência de atirar para a publicidade *uma série de ideias*
capazes de agir sobre o psiquismo nacional, que precisa trabalhado
e percorrido em todas as direcções por novas correntes de ideias e
emoções que nos arranquem à nossa estagnação[3]. *E isto, em nome*
da ideia patriótica, *sempre mais ou menos presente nos meus pro-*
pósitos.

Contudo, este lançamento de correntes estéticas de diversa ín-
dole continha já virtualmente o princípio dos heterónimos, que de
certo modo iria organizar de uma forma coerente as principais li-
nhas distintas da sua personalidade.

---

1 *Páginas Íntimas...., ob. cit.* pp. 136 e 137.
2 *Ibid.,* pp. 63 e 64.
3 *Cartas de Fernando Pessoa a Armando Cortes-Rodrigues, ob. cit.,* p. 41.
Carta de 19-1-1915.

Desde há muito que Fernando Pessoa sentia dentro de si vozes e tendências díspares, imaginando autores que a exprimiam, desde o Chevalier de Pas *dos seus 6 anos até aos «poetas» ingleses, como* Alexander Search. *A psicopatologia estuda estas cisões psíquicas, que podem ser apenas virtuais e benignas ou levar a estados psicopáticos graves.* C. G. Jung *recordava em* O Homem à Procura da Sua Alma, *que devemos a Pierre Janet e a Morton-Prince o conhecimento hodierno das extensas possibilidades que tem a consciência de se cindir.* Eles conseguiram *realizar cisões em quatro ou cinco personalidades diferentes; verificou-se nesta ocasião que cada uma destas parcelas da personalidade possui uma componente caracterológica e uma memória própria. Estas parcelas existem lado a lado, relativamente independentes umas das outras, e podem a todo o momento alternar mutuamente, quer dizer que cada uma possui um alto grau de autonomia*[1]. *Chamaram a essas parcelas de personalidade* tempos-seres. *Jung,* complexos afectivos.

Parece ser exactamente o caso de Fernando Pessoa, que descreveu uma fenomenologia semelhante numa página solta, de data duvidosa, 1913 ou 1915:

Não sei quem sou, que alma tenho.

Quando falo com sinceridade não sei com que sinceridade falo. Sou variamente outro do que um eu que não sei se existe (se é esses outros).

Sinto crenças que não tenho. Enlevam-me ânsias que repudio. A minha perpétua atenção sobre mim perpetuamente me aponta traições de alma a um carácter que talvez eu não tenha, nem ele julga que eu tenha.

Sinto-me múltiplo. Sou como um quarto com inúmeros espelhos fantásticos que torcem para reflexões falsas uma única anterior realidade que não está em nenhuma e está em todas[2].

E ainda:... Sinto-me vários seres. Sinto-me viver vidas alheias, em mim, incompletamente, como se o meu ser participasse de todos os homens...

Provavelmente esta dispersão interior teria aniquilado o poeta, como aniquilou o seu amigo Sá-Carneiro, se não tivesse conseguido exprimi-la e sublimá-la pela invenção prodigiosa, invenção mas to-

---

[1] C. G. Jung, *L'Homme à la decouverte de son âme*, trad. francesa, Ed. Mont-Blanc, Paris, 1958, p. 199.

[2] *Páginas Íntimas...*, ob. cit., pp. 93 e 94.

cada de onticidade e de verdade psicológica, dos heterónimos, poetas outros do que ele próprio, cada um deles com o seu estilo, a sua visão do mundo, a sua metafísica, mas formando, no conjunto, um Eu plural e contudo unívoco.

Sê plural como o universo! — exclamou numa página avulsa não datada. O universo é plural, mas é uni-verso, quer dizer, nele toda a pluralidade se ordena para o Uno. Assim, em Pessoa, a pluralidade heteronímica começa por ser uma autocisão ou uma intra-cisão psíquica e acaba por ser, se lida em profundidade, uma reconvergência, um regresso à unidade. Foi dividindo-se que o poeta se encontrou. Mas encontrou-se num Versus Unum sem perdas, assumindo todas as parcelas diferentes do seu eu, para que elas pudessem estar presentes, sem esquecimentos ou diminuições, na síntese final ou no reencontro que almejava.

Havia uma comunhão profunda entre Mário de Sá-Carneiro e Fernando Pessoa. Ambos órfãos e ambos quase duplamente órfãos. Sá-Carneiro sem mãe e Pessoa sem pai. Sá-Carneiro com pai, mas «exilado» em Camarate, educado pelos avós; Pessoa com mãe, mas longe dela, na África do Sul, inserida numa família de que se sentia em grande parte excluído.

Ambos ressentiram e sofreram dentro de si uma divisão interior, que Mário de Sá-Carneiro foi o primeiro a consciencializar em termos poéticos: o poema «Dispersão», de Maio de 1913, no livro com o mesmo título, assinalava já essa descida do eu a um labirinto interior, onde se via cindido de si: Perdi-me dentro de mim / Porque eu era labirinto...[1] Ou noutra quadra: Eu fui alguém que passou. / Serei, mas já não sou...[2]

Foi contudo mais explícito, quer no conto «Eu-Próprio, o Outro», do livro Céu em Fogo, escrito em Novembro de 1913, onde o protagonista, possuído pelo Outro que sentia dentro de si, se interrogava: Serei uma nação? Ter-me-ia volvido um país?[3], quer no breve mas famoso poema «7», datado de Fevereiro de 1914: Eu não sou eu nem sou o outro, / Sou qualquer coisa de intermédio: / Pilar da ponte de tédio / Que vai de mim para o Outro[4].

Ora foi pouco tempo depois que, damos agora a palavra ao próprio Fernando Pessoa, na conhecida carta a Adolfo Casais Monteiro sobre a génese dos heterónimos, lembrei-me de um dia fazer uma partida a Sá-Carneiro — de inventar um poeta bucólico, de es-

---

[1] Mário de Sá-Carneiro, Obra Poética, Publicações Europa-América, Lisboa, 1985, p. 86.

[2] Ibid, p. 88.

[3] M. de Sá-Carneiro, Céu em Fogo, Publicações Europa-América, Lisboa, 1985, p. 156.

[4] M. de Sá-Carneiro, Obra Poética, ob. cit., p. 119.

pécie complicada, e apresentar-lho, já não me lembro como, em qualquer espécie de realidade. Levei uns dias a elaborar o poeta mas nada consegui. Num dia em que finalmente desistira — foi em 8 de Março de 1914 — acerquei-me de uma cómoda alta, e, tomando um papel, comecei a escrever, de pé, como escrevo sempre que posso. E escrevi trinta e tantos poemas a fio, numa espécie de êxtase cuja natureza não conseguirei definir. Foi o dia triunfal da minha vida, e nunca poderei ter outro assim. Abri com o título, O «Guardador de Rebanhos». E o que se seguiu foi o aparecimento de alguém em mim, a que dei desde logo o nome de Alberto Caeiro[1].

Alberto Caeiro era, para Fernando Pessoa, como o Outro *de Sá--Carneiro, mas agora saindo da vaga formulação que lhe atribuíra o autor dos* Indícios de Oiro, *para tornar-se uma personagem concreta, com biografia, existência separada, pensamento próprio, não um pseudónimo, mas verdadeiramente um* heterónimo.

Mas, uma vez começado, Pessoa já não poderia ficar por aqui: Aparecido Alberto Caeiro, tratei logo de lhe descobrir — instintiva e subconscientemente — uns discípulos. Arranquei do seu falso paganismo o Ricardo Reis latente, descobri-lhe o nome, e ajustei-o a si mesmo, porque nessa altura já o via. E, de repente, em derivação oposta à de Ricardo Reis, surgiu-me impetuosamente um novo indivíduo. Num jacto, e à máquina de escrever, sem interrupção nem emenda, surgiu a Ode Triunfal de Álvaro de Campos — a Ode com esse nome e o homem com o nome que tem.

E logo depois: Criei, então, uma «coterie» inexistente. Fixei aquilo tudo em moldes de realidade. Graduei as influências, conheci as amizades, ouvi, dentro de mim, as discussões e as divergências de critérios, e em tudo isto me parece que fui eu, criador de tudo, o menos que ali houve.

Fernando Pessoa traçou a biografia de cada um destes três heterónimos, descreveu o seu retrato físico, intelectual e moral, falou das suas tendências e características, mencionou também o semi--heterónimo Bernardo Soares, que aparece sempre que estou cansado ou sonolento. *Mas principalmente, Fernando Pessoa foi a partir daí quatro poetas, escrevendo poemas em seu próprio nome, e também outros poemas, ora de Caeiro, ora de Reis, ora de Campos, sempre perfeitamente, rigorosamente diferenciados uns dos outros pelo estilo e pela concepção do mundo e da estética literária.*

Noutro texto (e cabe lembrar a interrogação de Sá-Carneiro, já citada: Serei uma nação? Ter-me-ia volvido um país? *), Fernando Pessoa comentava:* Com uma tal falta de literatura, como há hoje, que pode um homem de génio fazer senão converter-se, ele só, em

---

[1] Carta a Adolfo Casais Monteiro, in *Páginas de Doutrina Estética*, Ed. Inquérito, Lisboa, 1946, pp. 259 a 268. Carta de 13-1-1935.

uma literatura? Com uma tal falta de gente coexistível, como há hoje, que pode um homem de sensibilidade fazer senão inventar os seus amigos, ou, quando menos, os seus companheiros de espírito[1]?

Mas Pessoa, sempre lúcido, deu também, ele próprio, uma explicação psicológica para a heteronímia, que não anda longe das conclusões de Janet, Morton-Prince e Jung, entre outros: A origem dos heterónimos é o fundo traço da histeria que existe em mim [...], residindo na minha tendência orgânica e constante para a despersonalização e para a simulação. Estes fenómenos — felizmente para mim e para os outros — mentalizaram-se em mim; quero dizer, não se manifestam na minha vida prática, exterior e de contacto com os outros; fazem explosão para dentro e vivo-os eu a sós comigo[2].

Note o leitor que o mais extraordinário, nesta invenção dos heterónimos e na dinâmica criadora da sua poesia, não é tanto o factor de simulação e de despersonalização, quanto a mundivivência própria e o correlativo carácter estético de cada um, o quanto cada um encerra e projecta de profundamente humano, de revelador de uma constituição psíquica invulgarmente complexa, de coerente entre a forma exterior prosódica e musical, do verso, e o seu conteúdo intelectual e emotivo. O que poderia ser apenas um ardil racionalista e dialéctico, invulgar decerto, mas artificial e alegórico, torna-se, assim, verdadeiramente uma obra de génio.

Os heterónimos só poderão ser considerados um fingimento se os entendermos parafraseando o celebrado poema de Pessoa, isto é, dizendo que ele, o poeta, é um fingidor, mas fingindo tão completamente, / que chega a fingir que é vida / A vida que deveras vive, vida cindida em vidas, vida numa só vida, múltipla e contudo, como veremos, unívoca.

Acrescentemos que, além de Caeiro, Reis, Campos, Soares, ou dos já citados Alexander Search, A. A. Crosse, Charles Robert Anon e H. M. F. Lecher, sem esquecer o Chevalier de Pas, muitos outros semi-heterónimos menores ou pseudónimos utilizou Pessoa em escritos diversos, num total que se estima em 27, como por exemplo António Mora, Vicente Guedes, o Barão de Teive, Jean Seul, que, com o seu demiurgo, foram «autores» de cerca de 27 000 textos!

---

1 *Páginas Íntimas, ob. cit.*, pp. 98 e 99.
2 Carta a A. Casais Monteiro, *ob. cit.*

Fernando Pessoa, jovem idealista chegado a Lisboa da África do Sul, órfão de pai, sentindo-se traído pela mãe, solitário numa Lisboa onde levava uma existência de quase eremita, ao reinventar a Pátria perdida e de novo achada, sonhou restituí-la à grandeza de antanho.

Era uma personalidade fundamentalmente ética, aspirando à contemplação do divino, sequioso de verdade, de beleza e de bem, os grandes valores platónicos.

Já lembrámos o texto que escreveu sobre o seu intenso sofrimento patriótico. *Já sublinhámos os seus pensamentos de juventude (em 1907), que, se pudesse dar-lhes vida,* emprestariam nova leveza às estrelas, nova beleza ao mundo e maior amor ao coração dos homens. *Já transcrevemos o pacto de Alexander Search com Jacob Satanás. Caberá acrescentar como, possesso de transcendência, sentindo toda a inquietação de uma época pós-voltairiana, positivista, materialista e nietzschiana, experimentou o apelo do divino.*

É de 1912 a prece em que se dirige ao Altíssimo, em termos verdadeiramente religiosos: Senhor, que és o céu e a terra, e que és a vida e a morte! O sol és tu e a lua és tu e o vento és tu! Tu és os nossos corpos e as nossas almas e o nosso amor és tu também [...] *Prece que assim termina:* Torna-me grande como o Sol, para que eu te possa adorar em mim; e torna-me puro como a lua, para que eu te possa rezar em mim; e torna-me claro como o dia, para que eu te possa ver sempre em mim e rezar-te e adorar-te. Senhor, protege-me e ampara-me. Dá-me que eu me sinta teu. *E por fim, esta imploração mística de rejeição do* ego: Senhor, livra-me de mim.

Chegamos ao cerne do drama do poeta. É que Fernando Pessoa queria, mas tinha grandes periodos de hesitação e de dúvida; aspirava, mas problematizava excessivamente; amava, mas não se amava.

Daí o tonus *angustiado, muitas vezes desesperado do seu cancioneiro ortónimo. Numa nota íntima, datada de 1910, escrevia efectivamente que* toda a constituição do meu espírito é de hesitação e de dúvida. Nada é ou pode ser positivo para mim; todas as coisas oscilam em minha volta [...]; e que toda a minha vida foi de passividade e de sonho. Todo o meu carácter consiste no ódio, no horror de, na incapacidade que me caracteriza, física e mentalmente, para actos decisivos, para pensamentos definidos[1] [...].

---

[1] *Páginas Íntimas..., ob. cit.,* pp. 16 e 17.

Por outro lado, sentia incapacidade para relacionar-se com os outros ou para amar. É aflitiva esta nota de 1914: Cada vez estou mais só, mais abandonado. Em breve ficarei sozinho[1].

Abra-se a sua lírica em qualquer página. Dominam versos desgarradores, como estes, colhidos quase ao acaso: Ilusão tudo! Querer um sono eterno, / Um descanso, uma paz, não é senão / O último anseio desesperado e vão. / Perdido resta o derradeiro inferno / Do tédio intérmino, esse de já não / Nem aspirar a ter aspiração[2] (1909). Ou ainda, um ano depois: Inutilmente vivida, / Acumula-se-me a vida / Em anos, meses e dias; / Inutilmente vivida, / Sem dores nem alegrias, / Mas só em monotonias / De mágoa incompreendida[3]... (1910). Ou também: Porque é que me gela / Meu próprio pensar / Em sonhar amar[4]... (1913) Amei tanta cousa... / Hoje nada existe. / Aqui ao pé da cama / Canta-me minha ama / Uma canção triste[5] (1914). Dentro do meu coração faz dor. / Não sei donde essa dor me vem. / Auréola de ópio de torpor[6]... (1914). Ou por último, para não ir mais longe: O meu tédio não dorme. / Cansado existe em mim / Como uma dor informe / Que não tem causa ou fim[7] (1915).

Estas notas de angústia, de tédio, de lamentação pela solitude e dificuldade de ser e de amar que o assolam e desolam vão durar, persistentes, até ao fim da sua vida.

É neste registo que se sente em comunhão com um homem como Mário de Sá-Carneiro, igualmente cindido da vida social, do convívio normal com as pessoas e da relação de amor, que salva os pobres seres humanos do inferno da solidão. Sá-Carneiro escrevia-lhe por exemplo, de Paris, em Fevereiro de 1916: A minha tristeza não tem limites, a criança triste chora em mim — ascendem as saudades da ternura — sopra a zoina, sempre, sempre[8]. Por seu turno, Pessoa respondia-lhe: Há barcos para muitos portos, mas nenhum para a vida não doer, nem há desembarques onde se esqueça [...] Em dias de alma como hoje eu sinto bem, em toda a

---

[1] Páginas Íntimas..., ob. cit., p. 26.

[2] De «Em busca de beleza», poema de 27-2-1909, v. Poesia I, Publicações Europa-América, ob. cit.

[3] De «Estado de Alma», poema de 18-1-1910, ibid.

[4] De «Hora Morta», poema de 23-3-1913, v. Poesia I, Publicações Europa-América, ob. cit.

[5] Poema sem título, de 4-11-1914, ob. cit.

[6] Poema sem título, de 7-8-1914, ob. cit.

[7] Poema sem título, de 19-6-1915, ob. cit.

[8] Cartas de Sá-Carneiro a Fernando Pessoa, II vol., ed. Ática, Lisboa, 1979, p. 165.

consciência do meu corpo, que sou a criança triste em que a vida bateu. Puseram-me a um canto onde se ouve brincar. Sinto nas mãos o brinquedo partido que me deram por uma ironia de lata. Hoje, dia catorze de Março, às nove horas e dez da noite, a minha vida sabe a valer isto. [...] Como à veladora do «Marinheiro» ardem-me os olhos, de ter pensado em chorar. Dói-me a vida aos poucos, a goles, por interstícios[1]...

Enquanto o autor do Céu em Fogo, *porém, breve se suicidará, no irreparável naufrágio da sua vida, Fernando Pessoa conseguirá encontrar as suas defesas e, se nunca poderá ser um homem feliz e humanamente realizado, havendo sempre um lado magoado e solitário da sua alma, que tentará anestesiar com aguardente — no entanto conseguirá transcendê-lo pela espiritualidade da sua melhor criação poética, se não também pela sua intervenção intelectual e patriótica na vida portuguesa.*

Pessoa é antes de mais nada um espírito riquíssimo, com uma alma multifacetada e um desejo de sublimação, não só do seu próprio eu angustiado ou agónico, mas também do ambiente que o rodeia, da pátria e da própria humanidade. Concentrado sobre si próprio em permanente introspecção, tem na verdade uma faceta fortemente idealista e altruísta. É o que o salva.

Amor da pátria e da humanidade. Convicção do valor mágico e alquímico da palavra poética, como instrumento de transformação da realidade e do próprio Si. Paixão do saber. Inclinações religiosas, esotéricas ou místicas, decerto torturadas, mas que por vezes dir-se-ia ultrapassarem a pura aspiração e atingirem formas autênticas de conhecimento. Eis os valores positivos que, em Pessoa, coabitando com tendências negativas ou negativistas, contudo acabam por tomar a dianteira, alimentando e qualificando o seu génio.

8 — Dos heterónimos à «terrível e religiosa missão»

Ao principiar o ano de 1915, com 26 anos, Fernando Pessoa atinge a sua maturidade como homem e como poeta. Tudo o que ele será já o é, não apenas em virtualidade, mas também com a força de uma realidade a que só falta a expressão em termos artísticos. Um dia escreverá, na conhecida carta a Adolfo Casais Monteiro a respeito dos heterónimos: Não evoluo, VIAJO. *E explicará:* Vou mudando de personalidade, vou (aqui é que pode haver evolução) enrique-

---

[1] *Cartas de Sá-Carneiro a Fernando Pessoa, ob. cit.*, pp. 219 e 220.

cendo-me na capacidade de criar personalidades novas, novos tipos de fingir que compreendo o mundo, ou, antes, de fingir que se pode compreendê-lo. Por isso dei essa marcha, em mim, como comparável, não a uma evolução, mas a uma viagem: não subi de um lugar para outro; segui em planície, de um para outro lugar[1].

Estamos convencidos de que a ficção ou o drama em gente *dos heterónimos, cristalizando tendências antigas do seu ser, foi o último grau que lhe faltava subir para iniciar a viagem de descobrimento que toda a sua obra posterior (vinte anos extraordinariamente fecundos) representa.*

Já tivemos ocasião de relacionar a cisão dos heterónimos com a antiga ciência hermética, a alquimia[2]. O próprio poeta escreveu que há três caminhos para o oculto, o mágico (extremamente perigoso), o místico (incerto e lento) e o alquímico, o mais difícil e o mais perfeito de todos, porque envolve uma transmutação da própria personalidade que a prepara, sem grandes riscos, antes com defesas que os outros caminhos não têm[3].

Note-se que para C. G. Jung, o fundador da escola de psicologia analítica de Zurique, a alquimia é uma projecção, na Matéria, dos arquétipos e dos processos do inconsciente colectivo, exprimindo a problemática do devir da personalidade, o chamado processo da individuação[4].

Depois das primeiras operações alquímicas (castigando a matéria, como início da operação que conduziria à fabricação do ouro ou da imortalidade), isto é, depois das fases do nigredo, putrefactio e disolutio *(a «morte», a «obra em negro» e a dissolução dos elementos materiais), devem seguir-se os estádios de* albedo, citrinitas e rubedo, *que correspondem à sublimação da matéria ou mesmo ao princípio de uma redenção cósmica, e no plano psicológico significariam, segundo Jung, a conversão psíquica e a* obtenção do Si.

A transmutação da sua própria personalidade (ele disse a Casais Monteiro: o seu enriquecimento), *através da divisão psíquica dos heterónimos,* que parte da morte do eu solar *e da sua putrefacção e dissolução, para* separar *os elementos que o compõem, é o processo psicológico-alquímico pelo qual Fernando Pessoa, distinguindo, assumindo e conhecendo separadamente as partes elementares da sua alma, conquistou o* Si (na terminologia de Jung), isto

[1] *Páginas de Doutrina Estética, ob. cit.*, p. 275.
[2] *In* «Heteronímia e Alquimia ou do Espírito da Terra ao Espírito da Verdade», apêndice à 2.ª ed. do nosso livro *Fernando Pessoa, Vida, Personalidade e Génio*, Publ. D. Quixote, Lisboa, 1984, pp. 277 a 307.
[3] In *Vida e Obra de Fernando Pessoa*, de João Gaspar Simões, 2.ª ed., revista, Livr. Bertrand, Lisboa, sem data, p. 547.
[4] C. G. Jung, *Psychologie et Alchymie*, trad. francesa, Ed. Corrêa, Lisboa, 1959.

é, *superou as suas tendências contraditórias* ou *as suas* mudanças de personalidade, *para se tornar mestre do seu ser múltiplo e conflitual, em vez de por ele ser dominado e destruído, como sucedera a Mário de Sá-Carneiro.*

Tais partes elementares, tendências dominantes da sua psique, organizaram-se-lhe quanto a nós de acordo com os quatro tradicionais elementos cósmicos, representando em análise espontânea os seus arquétipos psíquicos, na forma peculiar como ele, Pessoa, os vivenciou na sua operação poético-alquímica: o da terra *(quanto a nós Alberto Caeiro),* o do ar *(Ricardo Reis),* o da água *(Álvaro de Campos)* e o do fogo *(o Fernando Pessoa ortónimo dos poemas místicos, esotéricos e religiosos). De uma tal correspondência entre a* matéria e o espírito falou Hegel quando disse que a antiga doutrina da formação de todas as coisas por quatro elementos, segundo Pitágoras, Empédocles, Platão e Aristóteles, ou por três princípios segundo Paracelso, não pretendeu designar empiricamente a pura matéria primitiva, mas, muito mais essencialmente, a determinação ideal da força que individualiza a figura do corpo.

Como escrevemos, foi porque Fernando Pessoa, *em vez de se deter numa criação literária próxima do primeiro elemento, a terra* (Caeiro), *em si e absolutizada, um cárcere da inteligência, da imaginação e do conhecimento transcendental, antes percorreu a* «via crucis» *da alquimia do verbo (em sentido mais exacto do que o de Rimbaud) como alquimia da psique, que lhe foi dado assumir uma poética simultaneamente da raiz, da viagem, da audição e da visão fulgurante*[1].

Nesse mês de Janeiro de 1915, tendo atingido a sabedoria e o conhecimento do seu eu *profundo, através das sucessivas operações de transmutação da personalidade correspondentes à criação ou fingimento poético dos heterónimos, Fernando Pessoa está pronto para exercer na vida portuguesa um magistério não só literário, mas também intelectual e espiritual; magistério de tão grande repercussão, embora não imediatamente, que se prolongou até aos nossos dias, atravessando fronteiras e abrindo as almas para o conhecimento de insuspeitados horizontes, como o tinham feito os navegadores portugueses, seus antecessores. Num apontamento solto, parafraseou a* frase gloriosa *dos* navegadores antigos, «Navegar é preciso; viver não é preciso», *adaptando-a ao seu próprio ser:* Viver não é necessário; o que é necessário é criar.

O seu programa, *programa a que ficou fiel até ao último dia da sua vida, expô-lo na famosa carta que escreveu para os Açores ao seu amigo Armando Cortes-Rodrigues, a 19 de Janeiro desse mesmo ano.* De modo que, à minha sensibilidade cada vez mais profun-

---

[1] *Heteronímia e Alquimia...,* ob. cit., p. 285.

da, e à minha consciência cada vez maior da terrível e religiosa missão que todo o homem de génio recebe de Deus com o seu génio, tudo quando é futilidade literária, mera-arte, vai gradualmente soando cada vez mais a oco e a repugnante. Pouco a pouco, mas seguramente, no divino cumprimento íntimo de uma evolução cujos fins me são ocultos, tenho vindo erguendo os meus propósitos e as minhas ambições cada vez mais à altura daquelas qualidades que recebi. Ter uma acção sobre a humanidade, contribuir com todo o poder do meu esforço para a civilização, vêm-se-me tornando os pesados e graves fins da minha vida. E assim, fazer arte parece-me cada vez mais importante cousa, mais terrível missão — dever a cumprir arduamente, monasticamente, sem desviar os olhos do fim criador-de-civilização de toda a obra artística. E por isso o meu próprio conceito puramente estético da arte subiu e dificultou-se; exijo agora de mim muito mais perfeição e elaboração cuidada. Fazer arte rapidamente, ainda que bem, parece-me pouco. Devo à missão que me sinto uma perfeição absoluta no realizado, uma seriedade integral no escrito[1].

Nesta ordem de ideias, se lhe passou a ambição de brilhar por brilhar, e essa outra, grosseiríssima, e de um plebeísmo artístico insuportável, de querer «épater», *contudo já a ideia de lançar correntes como a do Interseccionismo lhe não desagrada, pois urge atirar uma série de ideias para a publicidade para que* possam agir sobre o psiquismo nacional, que precisa trabalhado e percorrido em todas as direcções por novas correntes de ideias e emoções que nos arranquem à nossa estagnação, *segundo o passo aliás já citado. Mantém o seu propósito de* lançar pseudonimamente a obra Caeiro-Reis-Campos, *porque é* toda uma literatura que eu criei e vivi, que é sincera porque é sentida e que constitui uma corrente com influência possível, benéfica incontestavelmente, nas almas dos outros[2].

É sério, *sublinha*, tudo o que escrevi sob os nomes de Caeiro, Reis, Álvaro de Campos, *pois* em qualquer destes pus um profundo conceito da vida, diverso em todos três, mas em todos gravemente atento à importância misteriosa de existir[3].

E Fernando Pessoa termina esta carta extraordinária e reveladora, definindo o essencial da sua crise interior: a crise de se encontrar só quem se adiantou demais aos companheiros de viagem — desta viagem que os outros fazem para se distrair e acho tão grave, tão cheia de termos de pensar no seu fim, de reflectir no que

---

[1] *Cartas de Fernando Pessoa a Armando Cortes-Rodrigues, ob. cit.,* pp. 39 e 40.
[2] *Ibid.,* pp. 41 e 42.
[3] *Ibid.,* p. 43.

diremos ao Desconhecido para cuja casa a nossa inconsciência
guia os nossos passos... Viagem essa, meu querido Amigo, que é
entre almas e estrelas, pela Floresta dos Pavores... e Deus, fim da
estrada infinita, à espera no silêncio da Sua grandeza[1]...

9 — Fernando Pessoa e o «Orpheu»

É, pois, sentindo-se consciente de uma terrível e religiosa missão *que Fernando Pessoa com os seus amigos e companheiros de
tertúlia nos cafés de Lisboa, sobretudo o Martinho ou o Irmãos Unidos, se decide a com eles lançar, aliás por sugestão de Luís de Montalvor, uma revista de cultura, mais do que isso, uma revista deci-
dida a intervir na vida intelectual portuguesa.*

Em 1913, escrevendo a Sá-Carneiro, já Pessoa lhe dizia que a
Renascença é uma corrente funda, rápida, mas estreita, *acrescen-
tando que o que é preciso é ter um pouco de Europa na alma[2]. E
Sá-Carneiro por seu turno, escrevendo-lhe cerca de um ano mais
tarde, depois de ler a «Ode Triunfal», que considerava a obra-
-prima do futurismo, superior a tudo quanto tinha feito a escola de
Marinetti, sublinhava a mesma ideia:* Depois de tudo isto, meu
Amigo, mais do que nunca urge a Europa![3]

*Sem dúvida, a corrente cosmopolita e parisiense que chegava à
tertúlia dos amigos de Pessoa, sobretudo por intermédio de Sá-
-Carneiro, Santa-Rita Pintor e Amadeo de Sousa Cardoso, que pas-
savam longos períodos na capital francesa, contribuiu grandemen-
te para estimular a libertação da linguagem e para abrir novas
pistas de exploração e de criação, aos jovens poetas, sobretudo a
Sá-Carneiro e a Fernando Pessoa, assim como aos pintores, nomeadamente a Santa-Rita, Almada Negreiros e José Pacheco.*

*Mais do que qualquer outro, Fernando Pessoa foi capaz de
extrair toda uma inesperada plasticidade verbal, adverbial, prosódica e rítmica implícita ou em suspensão na nossa língua, produto
de uma singular conjunção de matrizes céltico-galaico-lusitanas,
latinas, islâmicas e até judaicas, fazendo dela um extraordinário*
organum *não só experimental e poético, mas também gnosiológico
ou cognitivo. Reconhecido, tendo descoberto nela um tesouro ini-
gualável de experiência ôntica e de sabedoria dos séculos ou dos*

---

[1] *Cartas de Fernando Pessoa a Armando Cortes-Rodrigues, ob. cit.*, p. 44.

[2] Mário de Sá-Carneiro, *Cartas a Fernando Pessoa*, vol. I, ed. Ática, 1958,
p. 133. Citações de Pessoa, numa carta de Sá-Carneiro, datada de 14 de Maio
de 1913.

[3] *Ibid.*, p. 152. Carta de 20 de Junho de 1914.

nilénios, diria mais tarde, pela voz do seu semi-heterónimo Bernardo Soares, que minha pátria é a língua portuguesa.

Decerto, uma vez sondadas, absorvidas e digeridas as correntes modernistas parisienses ou europeias, Fernando Pessoa irá mais longe do que o experimentalismo e o ímpeto renovador que elas representavam, porque acrescentando-lhes a poderosa individualidade e a afeição pelas raízes portuguesas e pelos valores transcendentais, que caracterizaram o seu génio. Mas este não teria decerto podido exprimir-se com a mesma originalidade, a mesma ousadia e a mesma fulgurância, se o poeta não tivesse vivido a alegria, o dinamismo genesíaco e o ímpeto provocador do paúlismo, do sensacionismo, do interseccionismo, dos heterónimos e do Orpheu, nascidos no companheirismo lisboeta e cosmopolita da tertúlia dos irmãos Unidos ou do Martinho.

A história do Orpheu é sobejamente conhecida. Entre os seus fundadores deveremos apontar, além de Pessoa, os nomes de Montalvor (autor da «Introdução», no n.º 1), de Mário de Sá-Carneiro, do brasileiro Ronald de Carvalho, de Alfredo Guisado, de Almada Negreiros, de Armando Cortes-Rodrigues e do pintor José Pacheco, responsável pela direcção gráfica. Todos colaboraram no primeiro número. No segundo e último número (financiada a revista pelo pai de Sá-Carneiro, este não pôde continuar a fazê-lo por dificuldades económicas) colaboraram ainda Ângelo de Lima (um louco internado em Rilhafoles), o brasileiro Eduardo Guimaraens, Raul Leal e Santa-Rita Pintor, além de novamente Sá-Carneiro, Pessoa, Montalvor e Cortes-Rodrigues, sob o pseudónimo de Violante de Cysneiros.

Se o n.º 1 apareceu com direcção portuguesa de Montalvor e brasileira de Ronald de Carvalho, no n.º 2 já os directores eram Pessoa e Sá-Carneiro. O editor, que não o podia ser ainda oficialmente dada a sua menoridade[1], era o mais novo do grupo, António Ferro.

A revista era um pouco híbrida, visto que, ao lado de poesias e colaborações plásticas francamente modernistas, como as de Pessoa, Sá-Carneiro ou Santa-Rita, apresentava textos predominantemente simbolistas, caso por exemplo das poesias de Montalvor, de Ronald, de Guimaraens ou de Alfredo Guisado, muito embora ensaiando por vezes certas novidades, de tipo paúlista ou outro. Aliás, a própria «Introdução» de Montalvor o acentuava: Bem propriamente, «Orpheu» é um exílio de temperamentos de arte que a querem como um segredo ou um tormento[2].

---

[1] Nascido em Agosto de 1895, António Ferro tinha ainda 19 anos à saída do Orpheu n.º 1. Nesse tempo, a maioridade era aos 21 anos.

[2] Orpheu, n.º 1, Janeiro-Fevereiro-Março de 1915, p. 9. Reeditado pela Ática, em 1959.

Foram as primeiras, evidentemente, que fizeram o escândalo e ao mesmo tempo o êxito do Orpheu. *Em especial os poemas de Sá-Carneiro, como o «16», o «7» ou «Apoteose», e ainda «O Marinheiro» e a «Chuva Oblíqua», assinados por Fernando Pessoa, bem como o «Opiário» e a «Ode Triunfal», assinados por Álvaro de Campos, chocaram, intrigaram e desafiaram pela originalidade inesperada da sua linguagem, pelos labirintos desconcertantes que traziam a um ambiente literário até aí sem ondas de maior, pelo arrojo das imagens e das ideias que a muitos pareceu avizinhar-se perigosamente da loucura.*

O Orpheu *integrava-se perfeitamente naquele programa enunciado por Pessoa na referida carta a Cortes-Rodrigues:* o de agir sobre o psiquismo nacional, *trabalhando-o por* novas correntes de ideias e emoções. *Por outro lado, os nossos poetas, congregando-se numa dinâmica de* grupo em fusão, *encontravam uma audiência e tinham a sensação de poder exercer uma influência sobre o meio.*

Que representou o Orpheu *para Fernando Pessoa? De entre os textos que ele próprio escreveu sobre a revista, decerto o mais interessante é a carta que enviou ao pensador portuense Sampaio Bruno, autor de* O Encoberto, *livro que ele muito admirava, pedindo-lhe a opinião sobre a revista, e assinando em nome dela:* Esta publicação enfeixa os esforços daqueles universais escritores que, por obra e graça da obscura lei serial que rege estes aparecimentos, se encontraram, sem saber porquê, constituídos em corrente literária[1]. *Considerando que constituíam uma feição cosmopolita, chamava depois a atenção para o modo como* englobamos quantos convites artísticos Hoje contém e como, através das nossas congruentes individualidades, as sintetizamos para uma corrente original, que em todas as dimensões transcende essas, citadas, correntes anteriores. *E acrescentava, significativamente:* Claro está que há em nós um fundo de originalidade, de primitividade metafísica de emoção, que permitiu, não só inevitabilizar em nós a tendência para essa síntese, como, conexamente, no valorizar dessa síntese, ir deixando escrita em cada frase psíquica — como, por fim, no conjunto organizado — o nome da nossa Individualidade.

Por outro lado, podemos avaliar da importância que a iniciativa teve para o poeta, pelo menos na área cultural do seu empenhamento como escritor, ao ler as cartas na altura escritas a Armando Cortes-Rodrigues.

Assim, escrevia-lhe pouco antes da saída do n.º 1: Temos que firmar esta revista, porque ela é a ponte por onde a nossa Alma passa para o futuro[2]. *Um mês depois, saído já este número, dava*

---

[1] In *Sampaio (Bruno), Sua Vida e Sua Obra,* de José Pereira de Sampaio, Ed. Inquérito, Lisboa, 1958, pp. 137 e 138. Carta de 31 de Março de 1915.

[2] *Cartas de Fernando Pessoa a Armando Cortes-Rodrigues,* ob. cit., p. 66. Carta de 4 de Março de 1915.

conta ao poeta açoriano do seu êxito, em termos pouco menos que delirantes: Deve esgotar-se rapidamente a edição. *Foi um triunfo absoluto,* especialmente com o reclame que «A Capital» nos fez com uma tareia na 1.ª página, um artigo de duas colunas[1]. *E ainda:* Naturalmente temos que fazer segunda edição. *Somos o assunto do dia em Lisboa;* sem exagero lho digo. O escândalo é enorme. Somos apontados na rua, e toda a gente — mesmo extraliterária — fala no «Orpheu».

Como é sabido, o n.º 3 do Orpheu[2], *embora já em provas, acabou por não sair, visto que o seu financiamento, obtido por Mário de Sá-Carneiro junto do pai, teve de cessar de um momento para o outro. Este, perdida a fortuna e tendo-se casado pela segunda vez, vira-se obrigado a aceitar um emprego nos Caminhos-de-Ferro de Lourenço Marques. Alguns anos mais tarde, em 1922, José Pacheco quis continuar a obra do* Orpheu, *fundando a revista* Contemporânea, *na qual aliás colaboraram muitos dos «órficos», Pessoa e Almada mais do que todos.*

Foi precisamente a propósito da Contemporânea *que, escrevendo ainda a Cortes-Rodrigues em 1923, Fernando Pessoa evocava o* Orpheu *em termos profundamente saudosistas:* Tanta saudade — cada vez mais tanta! — daqueles tempos antigos do «Orpheu», do paúlismo, das intersecções e de tudo o mais que passou[3]. *E, depois de mencionar a* enorme influência que ficou do «Orpheu», *escrevia:* V. tem visto a «Contemporânea»? É, de certo modo, a sucessora do «Orpheu». Mas que diferença! que diferença! Uma ou outra cousa relembra esse passado; o resto, o conjunto...

Contudo o espírito do Orpheu, *companheirismo, chamada do destino por uma* obscura lei serial *e feição cosmopolita, aliada a um fundo de originalidade e de* primitividade metafísica, *continuou com ele até ao fim da sua vida. Poucos meses antes de morrer, escrevendo para o* Sudoeste, *revista dirigida por Almada Negreiros, em nota intitulada «Nós os do 'Orpheu'», publicada no n.º 3, de Novembro de 1935, assim a concluía, efectivamente, em testemunho de fidelidade:* «Orpheu» acabou. «Orpheu» continua[4].

---

[1] *Cartas de Fernando Pessoa a Armando Cortes-Rodrigues, ob. cit.,* pp. 69 e 70. Carta de 4 de Abril de 1915.

[2] Do *Orpheu 3,* segundo as provas de página em poder de Alberto de Serpa, fizeram-se duas edições recentes: a da Nova Renascença, Porto, 1984, com uma introdução de José Augusto Seabra; e a da Ática, do mesmo ano, mas posterior, com uma introdução de Arnaldo Saraiva.

[3] *Cartas de Fernando Pessoa a Armando Cortes-Rodrigues, ob. cit.,* p. 82. Carta de 4 de Agosto de 1923.

[4] Fernando Pessoa, *Textos de Crítica e de Intervenção,* ed. Ática, Lisboa, 1980, p. 228.

Entre 1915 e 1935, ano da sua morte, Fernando Pessoa trabalhou prodigiosamente. Não o sabiam os seus contemporâneos ou mesmo os seus amigos próximos. Na verdade, se de quando em quando lhes chegavam os ecos do seu labor poético ou crítico — colaborações em jornais e revistas, como O Jornal, o Portugal Futurista, a Contemporânea, a Athena, que lançou e dirigiu em 1924 e 1925, e ainda a Presença, o Descobrimento, o Sudoeste, o Diário de Lisboa ou o Mundo Português, a edição dos poemas ingleses em pequenas e pouco divulgadas tiragens, alguns folhetos e manifestos, como o Aviso por Causa da Moral assinado por Álvaro de Campos ou o Interregno, não esquecendo a Mensagem, publicada em 1934 —, muito mais foi o que escreveu para si próprio ou para futuros projectos de edição e que, guardado na famosa arca que transportava consigo por toda a parte, vem sendo publicado pouco a pouco, constituindo um espólio imenso, do qual estão ainda inéditos milhares de textos de vária índole.

Mesmo assim, a Ática tinha até há pouco publicado onze volumes de poesia ortónima e heterónima, os Poemas Dramáticos, as Cartas de Amor, dirigidas a Ofélia Queirós, o Livro do Desassossego do semi-heterónimo Bernardo Soares e ainda sete ou oito livros de prosa crítica ou ensaística.

Livros estes sempre do maior interesse, embora contendo por vezes páginas fragmentárias ou incompletas, como um volume de introspecção, de auto-análise, de diário, de exposição da biografia e do pensamento dos vários heterónimos, de teorização do neopaganismo ou de comentário à sua própria poesia lírica ortónima e à Mensagem (Páginas Íntimas e de Auto-Interpretação[1]); dois volumes de comentários sobre os grandes temas do pensamento antigo e moderno ou de interpretação dos maiores filósofos europeus, desde Parménides, Zenão, Platão ou Aristóteles até S. Tomás de Áquino, Pascal, Descartes, Leibniz, Kant, Berkeley, Spinoza ou Nietzsche (Textos Filosóficos[2]); um volume de textos acerca da psicologia portuguesa, do problema da nacionalidade lusíada, do Sebastianismo ou do Quinto Império (Sobre Portugal[3]); dois livros inteiramente votados à reunião de textos de carácter político, em geral violentamente polémicos em relação ao «estado da nação» e idealizando a sua futura «república aristocrática» (Da República[4] e Ultimatum e Páginas de Sociologia Política[5]) e dois outros jun-

---

1 Ed. Ática, Lisboa, 1966.
2 Ed. Ática, 2 vols., Lisboa, 1968.
3 Ed. Ática, Lisboa, 1979.
4 Ed. Ática, Lisboa, 1979.
5 Ed. Ática, Lisboa, 1980.

tando, em antologia de textos publicados e inéditos, os numerosos escritos de estética, de crítica e de historiografia literárias ou de intervenção cultural elaborados por Pessoa ao longo dos anos (Páginas de Estética e de Teoria e Crítica Literárias[1] *e* Textos de Crítica e Intervenção[2]).

Como se ainda fosse pouco, dever-se-ão acrescentar ainda, além dos numerosos inéditos a que já nos referimos, os textos sobre temas religiosos, esotéricos e iniciáticos, alguns dos quais já publicados dispersamente e espalhados em publicações diversas; os estudos e notas de defesa de uma economia liberal (reunidos na publicação Sociologia do Comércio, *editada por Petrus, ou em* Textos para Dirigentes de Empresas, *edição limitada da Cinevoz); ou ainda muitas outras páginas, abordando os mais variados géneros, desde contos de terror e novelas «policiárias», como ele dizia, até artigos sobre filantropia e educação física, sem esquecer as numerosas cartas aos amigos ou a outros escritores.*

Uma floresta labiríntica, que é extremamente difícil, se não impossível, percorrer em todos os seus meandros, mas que constitui um dos conjuntos teoreticamente mais ricos da cultura portuguesa contemporânea, desde os princípios do século até 1935.

Se tivéssemos contudo de indicar as principais linhas de força de toda esta obra de pensamento estético, filosófico e crítico, indicaríamos as seguintes: 1) Introspecção, auto-análise exaustiva do eu; 2) Efabulação novelesca e poético-dramatúrgica, em especial no fingimento dos heterónimos, no seu romance e na sua escolástica; 3) Abordagem crítica dos grandes temas estéticos; 4) Paixão do conhecimento, seja do conhecimento por intermédio do pensamento filosófico, seja do conhecimento através de um pensamento gnósico, profético, esotérico ou teológico, num registo, este, que vai desde o neopaganismo politeísta de ascendência helénica até a um teísmo rosa-cruciano ou cristão gnóstico, em sentido paracletiano como Raul Leal, isto é, com acento na Terceira Pessoa; 5) Lusocentrismo em constante emergência, através da interpretação e assunção vivida dos principais mitos nacionais, nomeadamente os mitos do Sebastianismo e do Quinto Império, ou ainda da literatura portuguesa de sentido nacionalista e profético, desde o Bandarra, D. João de Castro ou o P.e António Vieira aos modernos, como Garrett, Nobre ou Pascoaes, que de um ou de outro modo exprimiram a mitogenia lusíada; 6) Enfim, empenhamento intervencionista na vida social, política e cultural portuguesa, no sentido da crítica ao statu quo *e da preparação, na terra portuguesa, de uma* República Aristocrática, *de um* Império da Cultura *ou de um* Império do Espí-

---

1 Ed. Ática, Lisboa, sem data.
2 Ed. Ática, Lisboa, 1980.

rito *em que se realizassem enfim, não só as profecias do Bandarra ou de Vieira, mas todo o direccionismo escatológico implícito e misteriosamente em acção na história portuguesa.*

11 — A poesia como introspecção e catarse

Concentrando-nos agora na poesia, portanto no conteúdo desta Obra Poética, *aproximemo-nos um pouco, a terminar, dos seus grandes trilhos.*

Do primeiro, o lírico, o do Cancioneiro, *já nos ocupámos em parte. Poesia de introspecção, quase sempre melancólica ou angustiada, exprimindo a solitude essencial de Fernando Pessoa, mas usando o* organum *expressional que é a língua de um modo tão fulgurante que a todo o momento nos levanta véus, nos mostra abismos, nos aponta culminâncias, nos aproxima enfim das realidades mais recônditas do homem, de que o seu* eu *se nos apresenta como símbolo.*

A lírica de Fernando Pessoa, adunante da emoção subjectiva e da pensamento que, por fora dela e contudo por dentro, a observa e reflecte (O que em mim sente / 'Stá pensando...), *oscila entre a instabilidade de um* eu *cujo princípio lhe foge ou que rejeita e sofre porque o insatisfaz — e um sentimento de fatalidade angustiada, de fracasso metafísico, de queda de um sonho anterior.*

Efectivamente, ora confessa, como no poema intitulado «Andaime», que Nada sou, nada posso, nada sigo, / Trago, por ilusão, meu ser comigo. / Não compreendo compreender, nem sei se hei-de ser sendo nada o que serei[1], *ora se lamenta:* Tudo o que faço ou medito / Fica sempre na metade. / Querendo, quero o infinito. / Fazendo, nada é verdade. / Que nojo de mim me fica / Ao olhar para o que faço[2]!

Melancolia, solidão, angústia, muitas vezes desespero são o seu lote existencial, nesta vida: Cansa ser, sentir dói, pensar destrui. / Alheia a nós, em nós e fora, / Rui a Hora, e tudo nela rui...[3] *Ou ainda, com acentos existenciais, prefigurando futuros textos sartrianos ou mesmo heideggerianos:* Ah quanta melancolia! Quanta, quanta solidão! / Aquela alma, que vazia, / Que sinto inútil e fria /

---

[1] De «Andaime», poema publicado em Junho de 1931, *Poesia I*, Publicações Europa-América, *ob. cit.*

[2] Poema sem título, de 13-9-1933, v. *Poesia II*, Publicações Europa-América, Lisboa, 1986.

[3] Poema sem título, de 1-1-1921, v. *Poesia I, ob. cit.*

Dentro do meu coração! Que angústia desesperada! / Que mágoa que sabe a fim![1] *Noutro poema, verdadeiramente pré-existencialista:* Náusea. Vontade de nada. / Existir por não morrer. / Como as casas têm fachada, / Tenho este modo de ser. / Náusea. Vontade de nada...[2]

O que de quando em quando aquece o seu coração é a memória da infância, paraíso perdido que no entanto passa pela sua alma como um fugaz raio de sol, pálido e sem calor pela distância fria do tempo. Sou louco e tenho por memória / Uma longínqua e infiel lembrança / De qualquer dita transitória / Que sonhei ter quando criança[3], *escreveu. Ou também:* Quando era criança / Vivi, sem saber, / Só para hoje ter / Aquela lembrança. / É hoje que sinto / Aquilo que fui. / Minha vida flui, / Feita do que minto. / Mas nesta prisão, / Livro único, leio / O sorriso alheio / Do que fui então[4].

As lembranças desse passado ditoso afluem-lhe constantemente à memória, mas para depois as comparar com a sua angústia de hoje, como nestes versos elegíacos e simultaneamente dramáticos: Que noite serena / Que lindo luar! / Que linda barquinha / Bailando no mar! / Suave, todo o passado — o que foi aqui de Lisboa — me surge... / O terceiro andar das tias, o sossego de outrora / Sossego de várias espécies, / A infância sem futuro pensado, / O ruído aparentemente contínuo da máquina de costura delas, / E tudo bom e a horas, / De um bom e de um a-horas próprio, hoje morto. / Meu Deus, que fiz eu da vida[5]?

Por outro lado, se é verdade que a infância, paraíso evocado mas perdido, não podia dar ao poeta mais do que uma consolação fruste para a sua dificuldade de ser, frustrada também foi sempre a sua relação no plano físico ou mesmo ideal, do amor. Adiante falaremos do seu «caso», com Ofélia Queirós. Nos poemas ingleses, em especial em «Epithalamium» e «Antinous», cantou Pessoa (num projecto que deveria incluir outros três poemas), já o amor do homem com a mulher, aliás em termos eróticos, já o amor homossexual figurado no par Adriano-Antinous. Não faltam, ao longo da sua obra, em especial no Terceiro Tema *do grande poema dramático que nunca chegou a concluir e que se chamaria* Primeiro Fausto, *inspirado em Goethe, terceiro tema intitulado* A falência do prazer e do amor, *as expressões da sua dificuldade ou mesmo*

---

1 Poema sem título, de 3-9-1924, v. *Poesia I, ob. cit.*

2 Poema sem título, de 8/12-12-1933, v. *Poesia II, ob. cit.*

3 De «Eu», poema de 24-9-1923, v. *Poesia I,* Publicações Europa-América, *ob. cit.*

4 Poema sem título de 2-10-1983, v. *Poesia II,* Publicações Europa-América, *ob. cit.*

5 Poema sem título e sem data, v. *Poesias de Álvaro de Campos,* Publicações Europa-América, Lisboa, 1986.

impossibilidade de amar, de se dar ao outro, de vencer o pudor de uma intimidade violada, de poder dizer, não eu, mas nós.

São lancinantes, efectivamente, os versos fragmentários, mas profundamente significativos, do «Primeiro Fausto», como por exemplo: O horror metafísico de outrem! O pavor de uma consciência alheia / Como um Deus a espreitar-me[1] [...] Ó horror metafísico de ti! / Sentido por instinto, não na mente! / Vil metafísica do amor da carne, / Medo do amor[2]... *Ou também:* Não me concebo amando, nem dizendo / A alguém «eu te amo» — sem que me conceba / Com uma outra alma que não é a minha[3]... *E ainda:* O amor causa-me horror; é abandono, / Intimidade[4]... [...] Uma nudez qualquer —espírito ou corpo— / Horroriza-me[5]... [...] Sinto ânsias, desejos, / Mas não com meu ser todo / Alguma cousa / No íntimo meu, alguma cousa ali / —Fria, pesada, muda— permanece[6].

É como se Pessoa aspirasse a um amor ideal, mas se sentisse incapaz de passar da idealidade à realidade. Dois versos são particularmente significativos, porque expressam afinal toda a sua melancólica e fruste poesia de amor: Pudesse-te eu amar sem que existisses / E possuir-te sem que ali estivesses[7]...

Nota dominante, esta. Se uma ou outra vez, ao ver passar uma rapariga *alta, de um louro escuro, que faz bem só pensar em ver / Seu corpo meio maduro e que Apetece como um barco. / Tem qualquer coisa de gomo, pergunta, Meu Deus quando é que eu embarco? / Ó fome, quando é que eu como[8]? — o certo é que a aspiração platonizante, mas irrealizável, é o que se lhe impõe, como na poesia que principia:* Ó tocadora de harpa, se eu beijasse / Teu gesto, sem beijar as tuas mãos[9]...

Tristemente, reflecte, ao observar a vida dos casais, das famílias, da maioria das pessoas: Outros terão / Um lar, quem saiba, paz, um amigo. / A inteira, negra e fria solidão está comigo[10].

Solidão a partir de certa altura cultivada e defendida como últi-

---

[1] De «Primeiro Fausto», in *Poemas Dramáticos*, de Fernando Pessoa, ed. Ática, Lisboa, 1952, p. 120.

[2] *Ibid.*, p. 119.

[3] *Ibid.*, p. 122.

[4] *Ibid.*, p. 123.

[5] *Ibid.*, p. 124.

[6] *Ibid.*, p. 125.

[7] *Ibid.*, p. 119.

[8] Poema sem título, de 10-9-1930, v. *Poesia II*, Publicações Europa-América, *ob. cit.*

[9] Do Soneto IV dos «Passos da Cruz», v. *Poesia I*, Publicações Europa-América, *ob. cit.*

[10] Poema sem título, de 13-10-1930, v. *Poesia I, ob. cit.*

mo reduto do eu magoado e no entanto disposto a cumprir o seu destino, a sua missão, a sua guerra santa. Nenhum poema traduz melhor do que o intitulado «Conselho» esta decisão de solitude que a partir de certa altura assumiu em pleno, amarga, lúcida e consciente: Cerca de grandes muros quem te sonhas. / Depois, onde é possível o jardim / Através do portão de grade dada, / Põe quantas flores são as mais risonhas, / Para que te conheçam só assim. / Onde ninguém o vir não ponhas nada[1]. E a terminar: Faze de ti um duplo ser guardado; / E que ninguém, que veja e fite, possa / Saber mais que um jardim de quem tu és — / Um jardim ostensivo e reservado, / Por trás do qual a flor nativa roça / A erva tão pobre que nem tu a vês...

A este nível os heterónimos, figuras fictícias nascidas da sua imaginação, foram-lhe a companhia que verdadeiramente não teve, nesses longos vinte anos entre 1915 e 1935, substituindo-lhe os amigos mortos ou exilados, como Sá-Carneiro e Cortes-Rodrigues. Uma família imaginária! Mas tão viva...

A poesia que escreveu sob o nome deles (e chegamos ao segundo trilho da sua obra poética) surge-nos não tanto como uma forma de voluntarismo elaborado, mas antes como uma libertação do inconsciente colectivo ou arcaico do autor, como uma série de projecções anamnésicas ou como criações dimanadas, cada uma com a sua autonomia e coerência, da sua memória inconsciente, memória nocturna, trazendo momentaneamente à luz antiquíssimas experiências.

Sensacionismo virginal, puro e pré-filosófico de Alberto Caeiro, um anti-Pascoaes, um anti-saudosista, colocando no lugar daquele transcendentalismo panteísta, que Fernando Pessoa ele-próprio exaltara nos artigos da Águia em 1913, precisamente o seu contrário, um panteísmo naturalista e imanentista, vendo apenas existências sem além e sem dentro onde todo o simbolismo poético vê essências, isto é, o que transcende, o que interioriza, o que releva de uma verdade maior.

Caeiro radicaliza, nos extraordinários poemas de O Guardador de Rebanhos, de O Pastor Amoroso ou dos Poemas Inconjuntos, toda a dificuldade humana, demasiado confiante nos sentidos e na inteligência de fundamento puramente perceptivo, em ver nas coisas palpáveis e observáveis algo mais do que a sua consistência física, algo mais do que a sua positividade e a sua naturalidade. Por isso diz: «Constituição íntima das cousas»... / «Sentido íntimo do Universo»... / Tudo isto é falso, tudo isto não quer dizer nada[2]. Ou

1 De «Conselho», poema publicado em Novembro de 1935, v. Poesia III, Publicações Europa-América, Lisboa, 1986.

2 De «O Guardador de Rebanhos», v. Poemas de Alberto Caeiro, Publicações Europa-América, Lisboa, 1986.

ainda: O único sentido íntimo das cousas / É elas não terem sentido íntimo algum[1].

Quanto a *Ricardo Reis, com o seu paganismo horaciano e estóico, associando-se a outro semi-heterónimo, António Mora, na doutrinação e na proposição de um neopaganismo português, afirma a
nostalgia dos Deuses gregos e romanos, a sua ligação intrínseca à
natureza em todos os seus modos e modalidades, a sua vida olímpi-
ca e o seu abandono dos humanos ao destino e ao fado, que lhes são
superiores e perante os quais, insondáveis que são, só nos resta,
como a eles, submetermo-nos e aceitarmos, tranquilos, a sua inexorável* necessidade. Só esta liberdade nos concedem / Os deuses:
submeter-nos / Ao seu domínio por vontade nossa. / Mais vale assim fazermos / Porque só na ilusão da liberdade / A liberdade existe. / *E, logo:* Nem outro jeito os deuses, sobre quem / O eterno fado
pesa, / Usam para seu calmo e possuído / Convencimento antigo /
De que é divina e livre a sua vida. *Terminando:* Nós, imitando os
deuses, / Tão pouco livres como eles no Olimpo, / Como quem pela
areia / Ergue castelos para encher os olhos, / Ergamos nossa vida
/ E os deuses saberão agradecer-nos / O sermos tão como eles[2].

Pessoa, que já exclamara: Sê plural como o universo!, *Pessoa
que na própria ficção dos heterónimos afirma o seu pluralismo interior, agora, através do pagão Ricardo Reis, herdeiro da mais antiga tradição da nossa civilização, que é a tradição grega e que devemos reatar, tendo de nos criarmos uma alma grega para podermos continuar a obra da Grécia*[3], *exprime o que chama o* Paganismo Superior, *o* Politeísmo Supremo, *porquanto na eterna mentira
de todos os deuses, só os deuses todos são verdade*[4].

*E, dirigindo-se a Cristo, o Deus feito Homem da religião cristã,
antipagã e antipoliteísta, canta:* Nem mais nem menos és, mas outro deus. / No Panteão faltavas. Pois que vieste / No Panteão o teu
lugar ocupa, / Mas cura não procures / Usurpar o que aos outros é
devido, *ainda que* Teu vulto triste e comovido sobre / A 'stéril dor
da humanidade antiga / Sim, nova pulcritude, *haja trazido ao anti-*
go Panteão incerto[5].

*Álvaro de Campos, com o «Opiário», os «Dois Excertos de
Odes», a «Ode Marítima», a «Ode Triunfal», a «Passagem das Horas», a «Tabacaria», o «Aniversário» ou «Lisbon Revisited», que
figuram entre as mais poderosas criações poéticas de Fernando*

---

1 De «O Guardador de Rebanhos», v. *Poemas de Alberto Caeiro, ob. cit.*
2 Poema sem título, de 30-7-1989, v. *Obras de Ricardo Reis,* Publicações
Europa-América, Lisboa, 1986.
3 *Páginas Íntimas..., ob. cit.,* pp. 302 e 303.
4 Entrevista a Augusto da Costa, cit. in *Sobre Portugal, ob. cit.,* p. 246.
5 Poema sem título, de 9-10-1916, v. *Odes de Ricardo Reis, ob. cit.*

Pessoa, Álvaro de Campos, o futurista, o sensacionista, o cantor da civilização mais moderna e também da memória de mais antiga, Álvaro de Campos, o expressor do ímpeto, do movimento, da energia vital e do seu continuum, *ao mesmo tempo que o místico, revelador da divina força cósmica que anima a natureza e as criaturas, comunicador de experiências verdadeiramente de êxtase, é, diríamos, o* alter ego *corajoso de Fernando Pessoa, o libertador das suas mais secretas correntes aquáticas torrenciais, sendo capaz de dizer e de nomear o que ele, Pessoa-ele próprio, nunca seria capaz de exprimir com tal liberdade e ousadia.*

Sendo o mais complexo dos heterónimos de Fernando Pessoa é ao mesmo tempo o mais patente e o mais oculto, o mais exterior e o mais secreto, o mais próximo do humano e o mais próximo do divino.

Vemo-lo, misteriosamente, apelar para a noite ancestral, como em memória de inenarráveis vivências primitivas, para a Noite, antiquíssima e idêntica, / Noite Rainha nascida destronada, / Noite igual por dentro ao silêncio, Noite / Com as estrelas lantejoulas rápidas / No teu vestido franjado de Infinito[1], *e ao mesmo tempo, na* «Ode Triunfal», *cantar a beleza das fábricas,* ó rodas, ó engrenagens, r-r-r-r-r eterno! Forte espasmo retido dos mecanismos em fúria!, *ou o fascínio pela civilização moderna,* Eh-lá-hô fachadas das grandes lojas! / Eh-lá-hô elevadores dos grandes edifícios! Eh-lá--hô recomposições ministeriais[2]...

Assim como o vemos, depois de expressar a angústia da cidade da minha infância pavorosamente perdida[3], *escrever um dos mais belos poemas religiosos de toda a literatura portuguesa,* Afinal a melhor maneira de viajar é sentir[4].

Para além de tudo quanto já dissemos, para além de tudo quanto a seu respeito já foi escrito e ainda está por escrever, a poesia dos heterónimos representou para Fernando Pessoa uma catarsis *de tendências inexprimíveis pela sua personalidade social, uma purgação ou purificação de invulgares, por vezes assustadoras emoções, volições e ideias, o que era, para os antigos, propriamente a finalidade do seu teatro trágico.*

Purificado, liberto, ou, de outro ponto de vista, sublimado pela operação alquímica conduzida por um seu poderoso daimon *ou guia interior, pôde Fernando Pessoa enveredar por mais altos trilhos, na sua ascensão, na sua ascese, na missão que pôde então assumir e tentar levar a cabo.*

---

1 De «Dois excertos de odes», v. *Poesias de Álvaro de Campos*, Publicações Europa-América, Lisboa, 1986.

2 «Ode Triunfal», poema de Junho de 1914, *ob. cit.*

3 De «Lisbon Revisited», poema de 26-4-1926, *ob. cit.*

4 Poema sem data, *ob. cit.*

Há na obra de Fernando Pessoa, impondo-se como uma das suas mais poderosas realidades, um itinerário para o divino, uma peregrinação para o absoluto, uma demanda do Graal da sabedoria do transcendente ou do sobrenatural.

O poeta foi um anticlerical, melhor seria dizer um antieclesiástico, manifestando por várias formas a sua crítica ao catolicismo, à religião católica, pelo menos tal como se organizava, exprimia e afirmava no seu tempo. Teve uma fase paganizante, ao modo grego. Nos últimos anos, contudo, caminhou para um cristianismo gnóstico, de inspiração rosa-cruciana. Há sempre contudo na sua poesia, emergindo a todo o momento, um trilho para as alturas, uma tentativa de levitação para além de tudo o que aparentemente se apresenta como sensacionista, naturalista, futurista, psicologista, subjectivista ou como dependendo de um egocentrismo frágil, dividido e angustiado. Até onde iria a sua busca, feita por conta própria, pelos seus próprios meios intelectuais e gnósicos, dentro daquele individualismo exigentíssimo do seu espírito?

É nossa convicção, na verdade, que o poeta aproximou de várias formas ou tocou mesmo realidades transcendentes ao que é temporal, social, físico, positivo e material. Efectivamente, vamos encontrar na sua obra, se lida em simpatia, momentos de difícil interpretação ao nível unicamente racionalista, momentos poéticos ora espontâneos, traduzindo estados intuitivos, inspirados ou místicos, ora de carácter iniciático, procurando ordenar experiências misteriosas que o poeta enquadrou sobretudo em tradições órficas, rosa-crucianas ou cristãs-gnósticas.

Dizemos conscientemente: momentos. *É que, no contexto geral da sua poesia, dir-se-ia que passam como instantes fugazes. Que por vezes o próprio poeta os rejeita, ou os esquece, ou os intelectualiza excessivamente. Mas é-nos impossível esquecê-los, como por demais tem sido feito por uma boa parte da nossa crítica.*

Sem carácter exaustivo, observemos este caminho levitante da poesia de Fernando Pessoa, caminho aliás sinuoso, via sinuosa que avança e recua, recua e avança, torce para um lado e para outro, e sempre reaparece, ainda que recaindo quantas vezes no cepticismo ou na autodescrença do nosso melancólico, interrogativo e contudo visionário autor.

Já vimos como na prece, escrita em 1912, se dirigiu religiosamente ao Senhor, que és o céu e a terra e que és a vida e a morte, *rogando-lhe:* Dá-me alma para te servir e alma para te amar. Dá-me vista para te ver sempre no céu e na terra, ouvidos para te ouvir no vento e no mar, e mãos para trabalhar em teu nome[1].

---

1 *Páginas Íntimas...*, ob. cit.

Contudo, em termos poéticos, são os cinco poemas encadeados, reunidos sob o título de «Além-Deus», escritos no ano seguinte, que traduzem uma estranha experiência mística, uma experiência que tudo indica ter sido de misterioso êxtase ou união com o Divino, neles se marcando bem as fases que, segundo os relatos dos místicos, testemunham de uma tal relação íntima e afinal indizível.

Cinco poemas, cinco fases.

No primeiro, «Abismo», a perda da consciência vigilante, o encontro inesperado: Fico sem poder ligar / Ser, ideia, alma de nome / A mim à terra e aos céus... / E súbito encontro Deus.

No segundo, «Passou», a impossibilidade de captar uma tal, imensa realidade: Passou, fora de Quando, / De Porquê, e de Passando..., / Turbilhão do Ignorado, / Sem ter turbilhonado...

No terceiro, «A Voz de Deus», estamos no centro do êxtase, Brilha uma voz na noute... / De dentro de Fora ouvi-a... Ó Universo, eu sou-te... / Oh, o horror da alegria / Deste pavor, do archote / Se apagar, que me guia!

No quarto, «A Queda», vem o tempo posterior e ainda extático da reverberação do divino na consciência já regressada ao mundo: Vácuo sem si-próprio, caos, / De ser pensado como ser... / Escada absoluta sem degraus... / Visão que não se pode ver... / Além-Deus! Além-Deus! Negra calma... / Clarão do Desconhecido...

Enfim no quinto poema, «Braço sem corpo brandindo um gládio», a reflexão, a razão, contudo a memória do estranho, retoma os seus direitos, enquanto o poeta visionário se interroga: Deus é um grande Intervalo, / Mas entre quê e quê?... / Entre o que digo e o que calo / Existo? Quem é que me vê? / Erro-me... E o pombal elevado / Está em torno da pomba, ou de lado?[1]

Depois de uma experiência desta natureza, e se de facto foi uma experiência de carácter místico, como poderíamos admirar-nos se os tão belos e profundo sonetos dos «Passos da Cruz» de 1914 ou 1915, que Dalila Pereira da Costa interpretou como a metáfora dum outro caminho do Calvário ou a poesia aceite como uma paixão que leva a uma redenção[2], nos comunicam de várias formas, e em diversos planos de entendimento, a memória do divino no humano, ou a sua audição subtil, ou a sua assunção da palavra e da mensagem segredados do alto ao poeta, representante do humano numa secreta conversação com o divino.

Em especial os últimos sonetos acentuam a consciência de que o poeta é um emissário de Deus, representando-o e executando neste mundo a sua misteriosa obra. Aconteceu-me do alto do infinito /

---

1 De «Além-Deus», poema de 1913 (?), v. *Poesia I*, Publicações Europa-América, *ob. cit.*

2 *O Esoterismo de Fernando Pessoa*, ed. Lello e Irmão, Porto, 1971, p. 74.

Esta vida[1]... *Depois dos «passos» anteriores assim principia, com o Soneto X, o despertar do poeta para a sua situação metafísica, para a sua condição de peça de xadrez de um imenso jogo escatológico. Julga-se livre, quando compõe os seus sonetos? Ao contrário. No Soneto XI canta:* Não sou eu quem descrevo. Eu sou a tela / E oculta mão colora alguém em mim[2].

Mas talvez o mais significativo destes poemas seja o Soneto XIII: Emissário de um rei desconhecido, / Eu cumpro informe instruções de além[3]... *que termina com uma sugestão órfica, segundo a teologia da essência divina ou semidivina do ser humano:* Ah, eu sinto-me altas tradições / De antes de tempo e espaço e vida e ser... / Já viram Deus as minhas sensações...

O homem está envolto no mistério, grande lago mudo. *Contudo o termo da sua aventura terrena, o* eschaton *da história humana, revela-se no último verso do Soneto XIV, com que os* Passos da Cruz *encerram:* E Deus, a Grande Ogiva ao fim de tudo[4]... *É precisamente a mesma ideia que tinha expresso na já citada carta a Armando Cortes-Rodrigues:* E Deus, fim da estrada infinita, à espera no silêncio da sua grandeza...

Tão funda é a vivência testemunhada nos Passos da Cruz *que muitos anos mais tarde, em 1932, voltará a exprimi-la poeticamente, em termos quase idênticos:* Não meu, não meu é quanto escrevo. / A quem o devo? / De quem sou o arauto nado? *E depois de perguntar* Porque, enganado, /Julguei ser meu o que era meu?, *responde com gratidão e humildade:* Mas, seja como for, se a sorte / For eu ser morte / De uma outra vida que em mim vive, / Eu, o que estive / Em ilusão toda esta vida aparecida, / Sou grato ao que do pó que sou /Me levantou. / (E me fez nuvem um momento / De pensamento) / Ao de quem sou, erguido pó, / Símbolo só)[5].

Mais do que servidor de Deus, Seu símbolo neste mundo!

Fernando Pessoa experimentou fenómenos de mediunidade, que descreveu numa conhecida carta à sua tia Anica[6], mas que mais tarde desvalorizou ou não quis explorar. E voltou a ter experiências de tipo místico, de que a nosso ver dão testemunho sobretudo dois poemas escritos em nome de Álvaro de Campos: o «Magnificat» e o que principia com o verso Afinal a melhor maneira de viajar é sentir.

---

[1] Do Soneto X dos «Passos da Cruz», v. *Poesia I, ob. cit.*

[2] Do Soneto XI dos «Passos da Cruz», *ob. cit.*

[3] Do Soneto XIII dos «Passos da Cruz», *ob. cit.*

[4] *Ibid.*

[5] *Cartas de Fernando Pessoa a Armando Cortes-Rodrigues, ob. cit.*, carta de 19-1-1915.

[6] Poema sem título, de 9-11-1932, v. *Poesia II*, Publicações Europa--América, *ob. cit.*

O primeiro, tal como «Além-Deus», embora escrito vinte anos depois, regista algo de luminoso e extraordinário, que o poeta não nos dá a contemplar senão pelo interstício resplandecente de uma porta quase fechada: Quando é que passará esta noite interna, o universo, / E eu, a minha alma, terei o meu dia? / Quando é que despertarei de estar acordado? Não sei. O sol brilha alto, / Impossível de fitar. / As estrelas pestanejam frio. / Impossíveis de contar. / O coração pulsa alheio. / Impossível de escutar. / Quando é que passará este drama sem teatro, / Ou este teatro sem drama, / E recolherei a casa? / Onde? Como? Quando? / Gato que me fitas com olhos de vida, quem tens lá no fundo? / É esse! É esse! / Esse mandará como Josué parar o Sol e eu acordarei: / E então será dia. / Sorri, dormindo, minha alma! / Sorri, minha alma, será dia[1].

Mas o segundo, uma das suas grandes peças de génio, dir-se-ia que nos dá a conhecer, quase a olho nu, a energia cósmica e divina que move o mundo, quando, partindo da assunção consciente da sua pluralidade interior, expressa por exemplo nos heterónimos, canta, exorta e revela, num crescendo dionisíaco e incandescente: Quanto mais eu sinto, quanto mais eu sinto como várias pessoas, [...] Quanto mais simultaneamente sentir como todas elas / Quanto mais unificadamente diverso, dispersamente atento, / Estiver, sentir, viver, for, / Mais possuirei a existência total do universo, / Mais completo serei pelo espaço inteiro fora. / Mais análogo serei a Deus seja ele quem for, / Porque ele, seja quem for, com certeza que é tudo, / E fora d'Ele há só Ele, e tudo para Ele é pouco. *E logo a seguir:* Cada alma é uma escada para Deus, / Cada alma é um corredor-Universo para Deus, / Cada alma é um rio correndo por margens do Externo / Para Deus e em Deus com um sussurro soturno. *Por isso,* Sursum corda! / Erguei as almas! Toda a Matéria é Espírito, / Porque Matéria e Espírito são apenas nomes confusos / Dados à grande sombra que ensopa o Exterior em sonho / E funde em Noite e Mistério o Universo Excessivo.

Seríamos obrigados a transcrever o poema todo, porque nem uma só das suas palavras é para perder-se. Bastará o seu final, contudo, para que o leitor compreenda estarmos, não só perante um hino ao divino, mas também perante uma experiência de excesso ôntico, ultrapassando a vivência normal e habitual das pessoas. Sou um formidável dinamismo obrigado ao equilíbrio / De estar dentro do meu corpo, de não transbordar da minh'alma. / Ruge, estoira, vence, quebra, estrondeia, / Freme, treme, espuma, venta, viola, explode. / Perde-te, transcende-te, circunda-te, vive-te, rompe e foge, / Sê com todo o meu corpo todo o universo e a vida, / Ar-

[1] De «Magnificat», poema de 7-11-1933, v. *Poesias de Álvaro de Campos,* ob. cit.

de com todo o meu ser todos os lumes e luzes, / Risca com toda a minha alma todos os relâmpagos e fogos, / Sobrevive-me em minha vida em todas as direcções[1]!

Noutra série de poemas, a poesia de Fernando Pessoa remete--nos para uma anamnese, para uma memória ancestral, como que evocando, mas vivencialmente, ritos arcaicos, crenças antigas e olvidadas, deuses pré-cristãos cuja mensagem, enigmática para os homens de hoje, dir-se-ia ter escolhido a sua lira como organum de comunicação. É o caso dos dois «Excertos de Odes», de Álvaro de Campos, que lembram irresistivelmente os Hinos compostos pelos telestai órficos, os orpheotelestai: Vem, Noite antiquíssima e idêntica, / Noite rainha nascida destronada, / Noite igual por dentro do silêncio, Noite / Com as estrelas lantejoulas rápidas / No teu vestido franjado de Infinito[2]...

E, não esquecendo algumas das odes de Ricardo Reis sobre Ceres ou Pã, é muito em especial o caso do surpreendente poema «O Último Sortilégio», agora assinado por Fernando Pessoa, onde a Grande Deusa-Mãe pré-histórica, depois chamada Egeia, Ísis, Deméter, Afrodite, Grande-Deusa que durante milénios, com seus mistérios, seus ritos e seus poderes, reinou sobre os homens, não apenas é evocada, é, pode dizer-se, reanimada (em impotência mas também em saudade) em toda a sua reverberação numinosa e mítica: Já repeti o antigo encantamento, / E a grande Deusa aos olhos se negou. / Já repeti, nas pausas do amplo vento, / As orações cuja alma é um ser fecundo [...] Ou mais adiante: Outrora meu condão fadava as sarças / E a minha evocação do solo erguia / Presenças concentradas das que esparsas / Dormem nas formas naturais das coisas[3]...

Para lá do conhecimento místico ou então anamnésico, através da memória mítica e inconsciente, de que demos alguns exemplos, mas que no conjunto da obra de Fernando Pessoa é tão cintilante quanto irregular e fugaz, interessou-se profundamente o poeta pela sabedoria a que se costuma chamar esotérica. Depois da fase neopagã, embrenhou-se efectivamente no estudo das formas do pensamento órfico, cristão-gnósico, maçónico, teosófico, rosa-cruciano. Deteve-se principalmente na sabedoria secreta dos Rosa-Cruzes, que influenciou a sua poesia de tipo iniciático.

Se aqui não há uma experiência tão espontânea do transcendente ou do absoluto, ela está no entanto subjacente, governando afinal

---

[1] Do poema que principia Afinal a melhor maneira de viajar é sentir. já referido, v. Poesias de Álvaro de Campos, ob. cit.

[2] De «Dois Excertos de Odes», poema já referido, v. Poesias de Álvaro de Campos, ob. cit.

[3] De «O Último Sortilégio», poema de 15-10-1930, v. Poesia II, Publicações Europa-América, ob. cit.

composições poéticas a que o poeta quis dar um rigor cada vez mais canónico.

É o caso de poemas como «Episódios — A Múmia» (1917), talvez o mais críptico, de que aliás Yvette Centeno fez uma inteligente interpretação[1]; «Gomes Leal» (1924), em que Pessoa nos dá uma interpretação astrológica do destino infausto deste poeta; «Iniciação» (1932), em que nos entre-revela o percurso iniciático de um neófito (Não dormes sob os ciprestes, / Pois não há sono no mundo / ...O corpo é a sombra das vestes / Que encobrem teu ser profundo), *conduzindo-nos até à revelação final:* Neófito, não há morte[2]; ou «No túmulo de Christian Rosencreutz», onde desvela e ao mesmo tempo obscurece, em termos simbólicos, cifrados, mas com uma grande margem de subjectivismo ou de pessoalização, a doutrina secreta dos Rosa-Cruzes: Mas se a alma sente a sua forma errada, / Em si, que é sombra, vê enfim luzido / O Verbo deste mundo, humano e ungido, / Rosa Perfeita, em Deus crucificada. / Então, senhores do limiar dos céus, / Podemos ir buscar além de Deus / O Segredo do Mestre e o Bem profundo[3]...

Considera contudo Max Hölzer, grande conhecedor desta temática (saudoso amigo, recentemente desaparecido), que Pessoa, no seu rosa-crucianismo, seguia mais o espírito do que a letra[4].

O poema «Na sombra do Monte Abiegno» (1932), inscrevendo-se, tal como «Eros e Psique», neste ciclo de poemas iniciáticos, é dos mais interessantes, muito embora seja sobretudo alegórico da postura de todo o apaixonado do conhecimento, de todo o peregrino do Absoluto, de todo o iniciando nos mistérios de uma ordem, de um culto, de uma religião: Quem pode sentir descanso / Com o Castelo a chamar? / Está no alto, seu caminho / Senão o que há por achar / Na Sombra do Monte Abiegno / Meu sonho é de o encontrar[5].

Defrontando a terrível, difícil realidade de formas místicas, míticas, intuitivas se não mediúnicas, gnósticas e iniciáticas de conhecimento (sempre por vias diferentes da teologia cristã tradicional, algumas vezes antagónicas, outras aproximando-se mais do que pareceria à primeira vista, mas concorrendo no fim de contas

---

[1] In *Fernando Pessoa — Tempo, Solidão, Hermetismo,* Livr. Morais, Lisboa, 1978.

[2] De «Iniciação», poema publicado em Maio de 1935, v. *Poesia III,* Publicações Europa-América, *ob. cit.*

[3] De «No túmulo de Christian Rosenkreutz», poema de 1935 (?), v. *Poesias III,* Publicações Europa-América, *ob. cit.*

[4] No artigo «Dans le tombeau de Christian Rosenkreutz», in revista *Exil,* Primavera-Verão de 1978, pp. 160 a 185.

[5] De poema que principia «Na Sombra do Monte Abiegno», de 3-10-1932, v. *Poesia II,* Publicações Europa-América, *ob. cit.*

para um convergente espiritualismo), Fernando Pessoa receou ser destruído, queimado pelo seu fulgor sobre-humano.

Assim chegou a interrogar, angustiado: Porque, ó Sagrado, sobre a minha vida / Derramaste o teu verbo? *E ainda:* Porque me deste o que te pedi, ó Santo! / Sei a verdade, enfim, do ser que existo / Prouvera a Deus que eu não soubesse tanto[1]!

Noutro poema, assinado por Álvaro de Campos: Não, não, a verdade não! Deixai-me estas casas e esta gente; / Assim mesmo, sem mais nada, estas casas e esta gente... / Que abafo horrível e frio me toca em olhos fechados? / Não os quero abrir de viver! Ó Verdade, esquece-te de mim[2]!

Contudo, Fernando Pessoa também teve os seus momentos de paz, de reconciliação, de fresca, simples e confiada crença em Deus, num Deus-Pai-bondoso, como num poema de 1930, que lembra irresistivelmente Antero de Quental: Então a sós comigo, / Sem me ter por amigo, / Criança ao pé dos céus, / Pus a mão na de Deus. / E no mistério escuro / Senti a antiga mão / Guiar-me, e fui seguro / Como a quem deram pão. *Assim concluindo:* Por isso, a cada passo / Que meu ser triste e lasso / Sente sair do bem / Que a alma, se é própria, tem, / Minha mão de criança / Sem medo nem esperança / Para aquele que sou / Dou na de Deus e vou[3].

Foi afinal nesta sabedoria do absoluto, vária nos seus modos, intermitente talvez, angustiada e intercalada de dúvidas e incertezas embora, que Fernando Pessoa recolheu as forças, Emissário de um rei desconhecido *cumprindo informes instruções de além, para arvorar o pendão de um combate ou de uma cruzada, em prol da adormecida, empecida, enevoada pátria portuguesa, contudo pátria messiânica do Quinto Império, pátria votada pela Providência, desde Ourique, Sagres, e Alcácer Quibir, a um transcendental destino.*

Qual cavaleiro templário, a pena como gládio, mas com seu juramento e seus votos, cavaleiro monge antigo nos dias de hoje, o poeta obscuro e fadado lançou-se completamente na batalha, e foi o maior empenhamento, a maior certeza, a mais persistente dedicação da sua vida, o projecto onde nunca tergiversou ou foi ambíguo. E nem mesmo o poema-retrato da sua cavalaria deixou de escrever: [...] Do vale à montanha, / Da montanha ao monte, / Cavalo de Sombra, / Cavaleiro monge, / Por penhascos pretos, / Atrás e defronte, / Caminhais secretos. [...] Do vale à montanha, / Da

---

[1] Poema sem título, de 1932, v. *Poesia II, ob. cit.*

[2] De «Demogorgon», poema de 12-4-1928, v. *Poesias de Álvaro de Campos,* Publicações Europa-América, *ob. cit.*

[3] Poema sem título, de 7-10-1930, v. *Poesia II,* Publicações Europa-América, *ob. cit.*

montanha ao monte, / Cavalo de sombra, / Cavaleiro monge, / Por quanto é sem fim, / Sem ninguém que o conte, / Caminhais em mim[1].

13 — O emissário, o mitogenista, o revelador do Portugal arquétipo, o profeta da pátria restaurada

Na recolha de textos intitulada Sobre Portugal[2] *podemos medir o quanto Fernando Pessoa, enquanto ia escrevendo os poemas da* Mensagem *(entre 1913 e 1934) ou a ode sebastianista ao* Presidente-Rei Sidónio Pais *(1920), ao mesmo tempo estudava, investigava, reflectia sobre tal temática.*

Os poemas surgem-nos lapidares, acabados, perfeitos, precisos. Mas quanto de pensamento exaustivo, quanto de leituras febris, quanto de sonho também, por detrás dos seus versos. Não poderemos entendê-los nunca, se esquecermos o seu fundamento numa filosofia providencialista da história. Segundo esta filosofia, com antecedentes de génio no contexto do pensamento ocidental, desde Platão e Aristóteles até Santo Agostinho, Dante, Vico, Herder, Schelling ou Hegel, lembrando também aqui o bracarense Paulo Orósio ou pensadores portugueses, como o P.e António Vieira, Cunha Seixas, Sampaio Bruno ou Leonardo Coimbra, a história dos homens é regida por leis, princípios, inspirações ou comunicações misteriosas de Deus, como Espírito Santo. A religião, a profecia, o mito são expressões dessa Providência, que na teologia cristã não corresponde no entanto à absoluta necessidade, *perante a qual os homens seriam autómatos, porque é conciliável com a sua* liberdade *ou livre arbítrio.*

A este respeito, diversas posições são possíveis, desde o criacionismo *de Leonardo Coimbra, com acentuação na criatividade e na acção humanas, em conciliação da escatologia cristã e do humanismo filosófico, até, no outro extremo, à teoria mítico-profética da história de Fernando Pessoa, com relevância para o mito, o* nada *que é tudo, pendendo pois para o* necessitarismo. *Neste aspecto, deveríamos ler a* Mensagem *na perspectiva das odes de Ricardo Reis e do seu paganismo helenizante, em que tanto os homens como os próprios deuses estão submetidos ao destino, ao* fatum, *à* moïra, *que é maior do que eles. É a luz de uma mitogenia portuguesa, apesar de tudo mais activista do que a submissão preconizada nas*

---

1 Do poema que principia *Do vale à montanha*, de 24-10-1932, *ob. cit.*
2 Ed. Ática, *ob. cit.*

odes horacianas e estóicas de Reis, que emergem, como aparições vindas do mistério, como figuras de destino, as figuras arquétipas (por assim dizer sagradas*) do nosso devir histórico, transpostas para a* Mensagem *com seus gestos essenciais, que afinal os transcendem e são muito menos seus do que de Deus ou dos Deuses que regem a Providência. Estudámos largamente este tema nos nossos livros* Introdução à Filosofia de História[1] e Poesia e Filosofia do Mito Sebastianista[2], *não cabendo aqui repetir o que já expusemos.*

Não podemos, está bem de ver, apreciar adequadamente a Mensagem *com um olhar positivista ou materialista. Os seus heróis não são* exemplos cívicos *de nacionalismo historicista nem são* modelos *de um activismo social ou moral, em epopeia racionalista ou de luta de classes.*

Mais perto andaremos do pensamento de Fernando Pessoa se os virmos como protagonistas de um macromito*, com seus símbolos e cifras, o mito do* Regresso ao Paraíso*, dentro do qual se desenvolvem os* micromitos *de um* Portugal-eleito de Deus*, em acção profunda no duplo plano do ideal cavaleiresco e do inconsciente colectivo nacional, pelo menos desde a formulação da profecia e aparição de Cristo a D. Afonso Henriques em Ourique, ampliando-se noutro ideal, surgido com D. Dinis e a Rainha Santa, o do* Império do Espírito Santo; *e o, convergente, de um Portugal destinado a ser o coração e a sede do* Quinto Império *como* Império do Espírito*, segundo a profecia de Daniel tornada mito português, sob a condução de um Príncipe fadado ou destinado, o D. Sebastião trans-histórico, o* Encoberto *que se revelará numa manhã de nevoeiro.*

Se é certo que se trata de mitos muito anteriores à poética de Fernando Pessoa, no entanto há nele uma reelaboração mitogénica, em sentido diverso da realizada nos tempos antigos pelos Cistercienses de Alcobaça, pelo Bandarra, por D. João de Castro, pelo P.e António Vieira, ou por Bocarro Francês, entre outros.

Num texto solto de 1930 (?), provavelmente destinado a uma introdução às suas obras de poesia, talvez mesmo à Mensagem*, escreveu significativamente:* Desejo ser um criador de mitos, que é o mistério mais alto que pode obrar alguém da humanidade[3].

Poderá contudo alguém, um homem só, mesmo um homem de génio, ser um criador de mitos?

Se o mito, como sublinha um Mircea Eliade, tem matriz religiosa, fundando-se no sagrado, anterior e transcendente aos limites de um indivíduo; e se, na visão psicológica de Jung, é oriundo das profundezas do inconsciente colectivo, então o desejo do poeta não teria sido senão uma miragem...

---

[1] Ed. Verbo, Lisboa, 1982.
[2] Guimarães Ed., Lisboa, 1982.
[3] V. este volume, p. 161.

Mas o que ele na realidade fez foi reelaborar seculares mitos portugueses, repensando-os, adaptando-os ao seu necessitarismo helenizante e ao seu rosa-crucianismo, muito embora dirigindo-se por vezes ao Divino, como no poema de Mensagem intitulado «Prece», *para rogar a sua intervenção no sentido da reactivação dos bloqueados mitos lusíadas:* Dá o sopro, a aragem, — ou desgaça ou ânsia, — / Com que a chama do esforço ser remoça, / E outra vez conquistemos — a Distância — / Do mar ou outra, mas que seja nossa[1]!

É que mesmo o mito, com a sua promessa e a sua teleologia predeterminadas, depende do Altíssimo, que o fundou e o sustenta. De uma ponta à outra de Mensagem, aliás, repete Fernando Pessoa que Deus é o agente[2], que O Homem e a hora são um só / Quando Deus faz e a história é feita[3]; *que* esta febre de Além que nos consome / E este querer grandeza são seu nome[4]; *que* Deus quere, o homem sonha, a obra nasce[5]; *ou que* Fosse Acaso, ou Vontade, ou Temporal / A mão que ergueu o facho que luziu, / Foi Deus a alma e o corpo Portugal / Da mão que o conduziu[6].

Deus conduziu a história dos Portugueses, através dos seus emissários, figuras arquétipas de heróis porque cumpridores, conscientes ou inconscientes, da vontade divina, cumpridores das instruções de além: Viriato, aquela fria / Luz que precede a madrugada[7]; *o Conde D. Henrique,* «Que farei com esta espada» / Ergueste-a e fez-se[8]; *D. Afonso Henriques,* Pai, foste cavaleiro. / Hoje a vigília é nossa[9]...

E assim por diante, até chegar ao Infante D. Henrique: Deus quis que a terra fosse toda uma, / Que o mar unisse, já não separasse. / Sagrou-te, e foste desvendando a espuma[10]. *Mas é no próprio poema sobre o Infante que o poeta denuncia a fractura, a queda, a falha:* Cumpriu-se o Mar, e o Império se desfez[11].

A Mensagem *tem três grandes* andamentos, *e não será deslocado trazer uma terminologia musical para um poema que devemos ver como verdadeiramente sinfónico.*

---

1 De «Prece», in Mensagem, neste volume, p. 115.
2 De «O Conde D. Henrique», *ibid.*, p. 101.
3 De «D. João o Primeiro», *ibid.*, p. 103.
4 De «D. Fernando, Infante de Portugal», *ibid.*, p. 105.
5 De «O Infante», *ibid.*, p. 109.
6 De «Ocidente», *ibid.*, p. 112.
7 De «Viriato», *ibid.*, p. 101.
8 De «O Conde D. Henrique», *ibid.*, p. 101.
9 De «D. Afonso Henriques», *ibid.*, p. 102.
10 De «O Infante», *ibid.*, p. 109.
11 *Ibid.*

No primeiro, intitulado Brasão — *fazendo coincidir os mitos e as figuras paradigmáticas da nossa história até ao último Rei-Cavaleiro da dinastia de Avis, D. Sebastião, com os Campos, os Castelos, as Quinas, a Coroa e o Timbre do brasão português, em conjunção original da heráldica e de uma meditação sobre os caminhos da Providência e do Mito —, Fernando Pessoa apresenta-nos o Portugal profundo, o Portugal arquétipo, o Portugal rosto da Europa, o Portugal que se firmou na guerra santa, que é o Bellum sine bello (na epígrafe com que abre esta I parte), guerra sem guerra por ser a guerra de Deus, o Portugal de uma febre de Além[1] que inspira a sua história como uma demanda do Graal, Graal entesourado no templo / que Portugal foi feito ser[2].*

Efectivamente, se D. João I é o Mestre, sem o saber, deste Templo-país, D. Filipa de Lencastre é a Princesa do Santo Graal, / Humano ventre do Império, Madrinha de Portugal[3], *enquanto Nuno Álvares Pereira levanta a espada* Excalibur, a ungida, / Que o Rei Artur te deu, / 'Sperança consumada, / S. Portugal em ser[4]... *Com tais ideais-mitos se fundou o Império, que Pessoa simboliza, com o timbre, no grifo sobrepujante ao escudo. A sua cabeça é o Infante,* O único Imperador que tem, deveras, / O globo mundo em sua mão[5]; *as suas asas são D. João o Segundo e Afonso de Albuquerque.*

No segundo andamento, *com o título de Mar Português, Pessoa quis dar-nos uma radiografia, simultaneamente épica e dramática, do que foi a grandiosa, contudo dolorosa* Possessio maris (*epígrafe desta II parte). O poeta vai direito ao essencial da empresa dos descobrimentos, quando aponta o que foi a sua universalidade,* E viu-se a terra inteira, de repente, / Surgir, redonda, do azul profundo[6]; *a sua conjunção do divino e do humano,* A alma é divina e a obra é imperfeita. / Este padrão sinala ao vento e aos céus / Que, da obra ousada, é minha a parte feita: / O por-fazer é só com Deus[7]; *o investimento do divino na pátria-missão ou pátria eleita,* Portugal, E ao imenso e possível oceano / Ensinam estas Quinas que aqui vês, / Que o mar com fim será grego ou romano: / O mar sem fim é português[8], *ou ainda* Com duas mãos — o Acto e o Destino — / Desvendámos [...], Foi Deus a alma e o corpo Portugal / Da mão que o conduziu[9].

---

[1] De «D. Fernando, Infante de Portugal», *ibid.*, p. 105.
[2] De «D. Filipa de Lencastre», *ibid.*, p. 104.
[3] De «D. João o Primeiro», *ibid.*, p. 103.
[4] De «Nunálvares Pereira», *ibid.*, p. 107.
[5] De «A Cabeça do Grifo / O Infante D. Henrique», *ibid.*, p. 107.
[6] De «O Infante D. Henrique», *Ibid.*, p. 107.
[7] De «Padrão», *ibid.*, p. 110.
[8] *Ibid.*
[9] De «Ocidente», *ibid.*, p. 112.

Se é este segundo andamento que mais afirma a missão cumprida, como missão divina, é também nele que se nos lembra o seu preço, terrível preço do favor divino, que não é favor aos homens em seu egoísmo ou seus interesses, mas nomeação para o sofrimento em nome da redenção futura, da redenção universal, no paradigma de Cristo. É o tema de um dos mais belos e decerto o mais pungente poema da Mensagem, o que principia Ó mar salgado, quanto do teu sal / São lágrimas de Portugal? Por te cruzarmos, quantas mães choraram, / Quantos filhos em vão rezaram? / Quantas noivas ficaram por casar / Para que fosses nosso, ó mar?[1]

O poeta interroga: Valeu a pena? E responde, num protesto contra o egocentrismo ou o materialismo burguês satisfeito dos que só pensam em si próprios, retrato talvez do Portugal de hoje, que Fernando Pessoa precisamente quis esconjurar: Tudo vale a pena / Se a alma não é pequena. / Quem quere passar além do Bojador / Tem que passar além da dor[2].

Mas o fado levou a pátria até ao sol aziago de Alcácer Quibir. O poeta canta agora: Senhor, a noite veio e alma é vil. / Tanta foi a tormenta e a vontade / Resta-nos hoje no silêncio hostil, / O mar universal e a saudade[3].

A partir daqui surgem então, pela voz do poeta, bardo do Portugal empecido, a prece ao Altíssimo, a injunção aos fados, a aposta na força recriadora do mito, cuja dinâmica foi interrompida, impedida misteriosamente de cumprir-se em todas as suas virtudes e promessas. Pessoa ora e exclama então, em vários tons: Senhor, falta cumprir-se Portugal![4] Ou também: E outra vez conquistemos a Distância[5]... Ou ainda: Não sei a hora, mas sei que há a hora...[6]

No terceiro e último andamento, intitulado O Encoberto, Pessoa afirma a possibilidade de uma regeneração nacional pelo mito e pelos seus símbolos. Em termos políticos, económicos, sociais, culturais, tudo está ou parece perdido. Mas a seu ver a mitogenia, implicando a transmutação de paradigma alquímico; e a poesia de raiz mitogénica, supondo a acção pelo poder mágico e transfigurante da palavra — são mais poderosas do que a sociologia o crê, tendo imprevisíveis efeitos em profundidade.

Num texto solto escreveu Pessoa que o erro político fundamental tem sido julgar que pode haver uma política verdadeira; não há, há só uma política útil. Só a ciência busca a Verdade e a quer[7].

---

1 De «Mar Português», ibid., p. 114.
2 Ibid.
3 De «Prece», ibid., p. 115.
4 De «O Infante», ibid., p. 109.
5 De «Prece», ibid., p. 115.
6 De «A Última Nau», ibid., p. 114.
7 De «Sobre Portugal», ed. Ática, ob. cit., p. 228.

Mas, quando diz a ciência, o poeta pensa numa sabedoria dos mitos e dos símbolos, sabedoria que, essa e não outra, pode conduzir ao saber do que é Portugal. Por isso escreve, logo a seguir: Esta é a primeira Nau que parte para as Índias Espirituais, buscando-lhes o Caminho Marítimo através dos nevoeiros da alma, que os desvios, erros e atrasos da actual civilização lhe ergueram.

Respondendo a uma entrevista feita pelo jornalista Augusto da Costa em 1934, Fernando Pessoa afirmava a sua confiança em que Portugal poderia voltar a ser uma grande potência construtiva ou criadora, um Império[1], *não já no sentido evidentemente de um Império guerreiro, territorial ou material, mas no sentido de um* Império do Espírito, um Império da Cultura. *Para tanto, seria necessário antes de mais nada* levantar o moral da nação, *abatido pelo complexo de inferioridade em que caímos historicamente.*

Ora, disse Pessoa, só há uma espécie de propaganda com que se pode levantar o moral de uma nação — a construção ou renovação e a difusão consequente e multímoda de um grande mito nacional. *E mais adiante, significativamente:* Temos, felizmente, o mito sebastianista, com raízes profundas no passado e na alma portuguesa. Nosso trabalho é pois mais fácil; não temos que criar um mito, senão que renová-lo. Comecemos por nos embebedar desse sonho, por o integrar em nós, por o encarnar. Feito isso, cada um de nós independentemente e a sós consigo, o sonho se derramará sem esforço em tudo o que dissermos ou escrevermos, e a atmosfera estará criada, em que todos os outros, como nós, a respirem. *E concluindo:* Então se dará na alma da Nação o fenómeno imprevisível de onde nascerão as Novas Descobertas, a criação do Mundo Novo, o Quinto Império. Terá regressado El-Rei D. Sebastião[2].

Eis o que poderia ser uma boa legenda da Mensagem *(que o poeta queria intitular* Portugal, *título que lhe pareceu grande de mais para as suas forças...), em especial da* III *parte, cuja epígrafe é desta vez* Pax in Excelsis, *como um apelo à paz de Deus, que só o cumprimento final do mito, da profecia ou da promessa divina, poderá trazer aos Portugueses.*

Note-se: o terceiro andamento principia pelos Símbolos dos cinco mitos dominantes na alma portuguesa, estrela de cinco pontas desenvolvendo-se em redor de um centro, que é o Sebastianismo, força motriz destinada a todos levar convergentemente ao seu desfecho mítico-escatológico, síntese de componentes tradicionais céletico-bretãs e arturianas (o Rei desaparecido na ilha cercada de nevoeiro, de onde um dia regressará para cingir a sua coroa usurpada), júdeo-messiânicas (o Redentor que virá conforme as profe-*

---

1 De «Sobre Portugal», ed. Ática, *ob. cit.*, p. 253.
2 V. Apêndice, p. 161.

cias para salvar o povo) e cristãs-cavaleirescas e templárias *(no paradigma de Cristo ressuscitando para salvar a humanidade, o Rei-Cavaleiro, ungido de Deus, voltará para reconduzir a nação transviada ao caminho da grandeza e da glória).*

O primeiro dos mitos simbolizados nesta III parte da Mensagem *é o do futuro ressurgimento de D. Sebastião, visto como ressurgimento em espírito, pelo mérito da sua fidelidade à Missão e a Deus,* Que importa o areal e a morte e a desventura / Se com Deus me guardei? / É O que eu me sonhei que eterno dura. / É Esse que regressarei[1].

O segundo mito é o do Quinto Império, *que seria o Império de Deus na profecia de Daniel a Nabucodonosor, sucedendo-se na interpretação tradicional judaica aos Impérios da Babilónia, dos Medas, dos Persas e dos Gregos (o Império helenístico de Carlos Magno). Os exegetas judaicos atribuíram-no a Israel. Camões terá sido o primeiro, nos* Lusíadas *(entenda-se em termos literários, porque a tradição deve ser entre nós bem mais antiga), a fazê-lo coincidir com Portugal, pois que* por ele se esqueçam os humanos / De Assírios, Persas, Gregos e Romanos[2]. *Fernando Pessoa apresenta-nos porém uma outra ordenação dos Impérios, que aliás justificou longamente no prefácio ao poema* Quinto Império[3] *do seu amigo Augusto Ferreira Gomes.*

A história do mundo é cíclica: E assim, passados os quatro / Tempos do ser que sonhou, / A terra será teatro / Do dia claro, que no atro / Da erma noite começou. *E o poeta interroga:* Grécia, Roma, Cristandade, / Europa — os quatro se vão / Para onde vai toda idade. / Quem vem viver a verdade / Que morreu D. Sebastião?[4]

O terceiro é o mito do Santo Graal, projectado na terra portuguesa, sendo o nosso Desejado *como o avatar do herói sem mácula do ciclo da Demanda, Galaaz, aquele que encontrará, por ser o mais puro dos cavaleiros do rei Artur, o cálice do Graal, contendo o sangue de Cristo, sobre o qual se poderá enfim construir a Cidade de Deus, e por isso apela Fernando Pessoa:* Vem, Galaaz com pátria, erguer de novo, / Mas já no auge da suprema prova, / A alma penitente do teu povo / À Eucaristia Nova. *E logo depois:* Mestre da Paz, ergue teu gládio ungido, / Excalibur do Fim em jeito tal / Que sua Luz ao mundo dividido / Revele o Santo Graal![5]

O quarto mito é o das Ilhas Afortunadas, com fortes conotações arturianas, terras sem ter lugar, / Onde o Rei mora esperando[6].

---

1 De «D. Sebastião», in *Mensagem*, p. 116.
2 De *Os Lusíadas*, canto I, 24.
3 Lisboa, 1944.
4 De «O Quinto Império», in *Mensagem*, neste volume, p. 117.
5 De «O Desejado», *ibid.*, p. 117.
6 De «As Ilhas Afortunadas», *ibid.*, p. 118.

O quinto e o último é propriamente o do Encoberto, *que Fernando Pessoa, depois de o ter descrito em termos de cavaleiro templário, simboliza agora de uma forma original, em termos rosa-crucianos. Em texto escrito posteriormente, Pessoa consideraria, efectivamente, que* Mensagem *é um livro abundantemente embebido em simbolismo templário e rosa-cruciano[1].*

Na simbólica desta doutrina secreta, a Rosa *(identificada por vezes com o cálice do* Graal *ou com a transfiguração das gotas do sangue de Cristo nele recolhido) é colocada no centro da* Cruz, *quer dizer, no lugar do Coração de Cristo; juntam-se aqui dois símbolos, o da* Cruz, *representando o Salvador, a Sua Sabedoria, o Seu Conhecimento perfeito, o Seu martírio, e o da* Rosa, *representando a purificação, o ascetismo, a superação dos desejos carnais, havendo também uma interpretação que a liga com a* Grande Obra *da alquimia, depois da sublimação da matéria e do seu branqueamento. Noutra leitura, hermética, seria a união dos princípios, o masculino, a energia criadora, a* Cruz, *e o feminino, a matriz da substância primordial, a* Rosa.

Sabemos que Fernando Pessoa se interessou profundamente por esta doutrina, praticada ao que parece desde os fins do século XVI ou princípios do século XVII, por fraternidades *de adeptos, que eram admitidos por rituais de iniciação. Os* Superiores *ou* Mestres *desconhecidos, praticando e vivendo a doutrina, de sinal redentorista, segundo a qual o Cristo vive no homem, o qual pode pois santificar-se e transmutar-se, tornar-se ele próprio a pedra viva do Templo universal, têm pois em si uma carga messiânica e graalista. O* Encoberto, *neste quinto mito, é um* Mestre *rosa-cruciano? Daí esperava Pessoa o regresso de D. Sebastião? O poema, muito cifrado, teria de ser interpretado com maior detenção do que o podemos fazer aqui.*

Mas observe-se como vai progredindo em três tempos: primeiro, Que símbolo fecundo / Vem na aurora ansiosa? / Na cruz Morta do Mundo / A Vida que é a Rosa; *segundo,* Que símbolo divino / Traz o dia já visto? / Na Cruz, que é o Destino, / A Rosa, que é o Cristo; *e terceiro,* Que símbolo final / Mostra o sol já desperto? / Na Cruz morta e fatal / A Rosa do Encoberto[2].

Aqui há de novo uma alusão à Eucaristia Nova, *a uma nova religião, construída sobre a* Cruz *morta e fatal, a religião do Encoberto, que todavia o poeta nunca explanou suficientemente.*

Esta religião ou mito do Encoberto teve os seus Avisos *correspondentes aos três poemas da segunda parte do que chamámos o terceiro andamento da* Mensagem, *ditados pelos três profetas de*

---

1 De *Sobre a Mensagem*, neste volume, p. 171.
2 De «O Encoberto», *ibid.*, p. 118.

Portugal: o Bandarra, este cujo coração foi / Não português, mas Portugal[1]; *o P.ᵉ António Vieira*, Imperador da língua portuguesa[2], *visionário da madrugada irreal do Quinto Império*[3]; *e ele próprio, Fernando Pessoa, no poema que por isso mesmo não tem título, momento de comovente lirismo, muito mais interrogativo do que vaticinante, que principia:* 'Screvo meu livro à beira-mágoa. / Meu coração não tem que ter. / Tenho meus olhos quentes de água. / Só tu, Senhor, me dás viver. *E onde as perguntas angustiadas se sucedem:* Quando, virás, ó Encoberto, / Sonho das eras português? [...] Quando, meu Sonho e meu Senhor?[4]

Enfim, concluindo a Mensagem, *Fernando Pessoa descreve simbolicamente os* Tempos *como os estádios de uma iniciação ou talvez como as fases de uma operação alquímica, desde o negrume ou o* nigredo *(o poema «Noite»), o sofrimento de uma divisão ou putrefactio (o poema «Tormenta»), a acalmia, citrinitas (o poema «Calma»), a albação ou o albedo (o poema «Antemanhã») e por último, não desde logo a Grande Obra, após o rubedo ou o ígneo, mas a injunção a que ela surja do nevoeiro e do mistério que a envolve, D. Sebastião redivivo (arquétipo universal do Salvador escondido, do Herói imortal que sempre regressa e ressuscita, como a fénix, pela purificação do fogo), Rei ressurgido de Portugal — Quinto Império (o poema «Nevoeiro») que termina com um apelo aos irmãos, no enigmático* Valete, Fratres.

Refaçamos o percurso, agora nos termos poéticos do próprio Pessoa. Em febre de ânsia, / A Deus as mãos alçamos. / Mas Deus não dá licença que partamos[5] *(«Noite»).* Que jaz no abismo sob o mar que se ergue? / Nós, Portugal, o poder ser[6] *(«Tormenta»).* Haverá rasgões no espaço / Que dêem para outro lado [...] *onde* Surja uma ilha velada, / O país afortunado / Que guarda o Rei desterrado / Em sua vida encantada?[7] *(«Calma»).* Rodou e foi-se o mostrengo servo [...] *Chamar Aquele que está dormindo / E foi outrora* Senhor do Mar[8] *(«Antemanhã»).* Tudo é disperso, nada é inteiro. / Ó Portugal, hoje és nevoeiro... / É a Hora![9] *(«Nevoeiro»).*

De algum modo, Mensagem *culmina toda a obra anterior de Fernando Pessoa, já que, depois da angústia, constantemente sofrida, da cisão interior expressa nos heterónimos, da solidão heroi-*

---

1 De «O Bandarra», in *Mensagem*, p. 119.

2 De «António Vieira», *ibid*.

3 *Ibid*.

4 De «Terceiro», *ibid.*, p. 120.

5 «De Noite», *ibid.*, p. 121.

6 De «Tormenta», *ibid*.

7 De «Calma», *ibid.*, p. 122.

8 De «Antemanhã», *ibid.*, p. 123.

9 De «Nevoeiro», *ibid*.

camente vivida ou da procura da Deus na meditação metafísica, na experiência mística ou na sabedoria do oculto, foi o acto longamente preparado, acto em que se exprimiu positivamente, em que decidiu e em que se assumiu, mais do que um escritor ou mesmo um poeta, antes um profeta como o Bandarra ou Vieira, um bardo de Portugal como Camões, um cavaleiro-templário trocando o gládio pelo poema, como D. Afonso Henriques ou o Infante D. Henrique, um mitogenista e um alquimista do verbo, como Goethe, olhando em visão espectral a alma encoberta da sua pátria e tudo fazendo para levantá-la, salvá-la, fazê-la reaparecer da espessa névoa que a envolve.

Se os seus interlocutores da revista Presença, Casais Monteiro, Gaspar Simões ou mesmo Régio (que tanto fizeram para impor a sua obra, mérito que nunca lhes poderá ser retirado), teriam preferido ver a sua lírica ortónima e heterónima publicada antes da Mensagem, por nossa parte estamos convencidos de tê-lo feito o poeta em plena consciência. A pátria, a pátria das suas raízes, a pátria do seu sonho, a pátria do seu imaginário mítico e escatológico, mediadora ou pontifícia entre a mónada individual e o colectivo da humanidade, foi a sua maior, se não a sua única certeza.

Como escreveu, já em 1935, a propósito da Mensagem, o Indivíduo e a Humanidade são lugares, a Nação o caminho entre eles. É através da fraternidade patriótica, fácil de sentir a quem não seja degenerado, que gradualmente nos sublimamos, até à fraternidade com todos os homens[1]. Perante estas palavras, poderemos concluir agora que a saudação Valete, Fratres, não tem um cunho apenas iniciático, porque exprime sobretudo o ideal da fraternidade patriótica dos Portugueses, sem o qual nunca mais Portugal poderá ser reconstruído à medida do seu próprio sonho ou mito, a obter pela sublimação que o poema, em si, representa...

Além da Mensagem e no mesmo sentido, isto é, desenvolvendo dois dos seus mitos fundamentais, Fernando Pessoa escreveu ainda, pondo agora de lado alguns outros poemas de menor importância, o poema À Memória do Presidente-Rei Sidónio Pais (1920), dedicado ao que, tendo instaurado a República Nova, e tendo sido Presidente da República Portuguesa durante cerca de um ano, foi assassinado a 14 de Dezembro de 1918.

Num dos seus apontamentos definiu Fernando Pessoa o Sebastianismo deste modo (e por isso se chamava e lhe chamaram um Sebastianista Racional): um movimento religioso, feito em volta duma figura nacional, no sentido dum mito. No sentido simbólico D. Sebastião é Portugal: Portugal que perdeu a sua grandeza com

---

[1] Sobre Portugal, ob. cit., p. 436.

D. Sebastião, e que só voltará a tê-la com o regresso dele, regresso simbólico [...] mas em que não é absurdo confiar[1].

Como pode suceder existencial e socialmente um tal regresso? Pessoa responde noutro texto, através de uma teoria próxima da ideia da metempsicose: A alma é imortal e, se desaparece, torna a aparecer onde é evocada através da sua forma. Assim, morto D. Sebastião, o corpo, se conseguirmos evocar qualquer coisa em nós que se assemelhe à forma do esforço de D. Sebastião, «ipso facto» o teremos evocado e a alma dele entrará para a forma que evocámos. Por isso quando houvermos criado uma cousa cuja forma seja idêntica à do pensamento de D. Sebastião, D. Sebastião terá regressado, mas não só regressado modo dizendo, mas na sua realidade e presença concreta, posto que não fisicamente pessoal[2].

O certo é que o poeta investiu em Sidónio o seu sonho mítico do regresso do Encoberto através duma figura carismática actual, uma figura de destino nos nossos dias, representante do seu pensamento e ideal. Cantou então: Flor alta do paul da grei, / Antemanhã da Redenção,/ Nele uma hora encarnou el-rei/Dom Sebastião[3].

Morto porém Sidónio, não tardou em fazê-lo alinhar no cortejo dos falsos D. Sebastião, não o dos que ainda no seu tempo o quiseram substituir por embuste, mas o dos seus avatares, na imaginação dos mitogenistas portugueses, como D. João IV, o Marquês de Pombal ou D. Miguel. O poema conclui por um apelo a que o Desejado volte enfim, o verdadeiro, Precursor do que não sabemos, / Passado de um futuro a abrir/No assombro de portais extremos / Por descobrir [...] E no ar de bruma que estremece / (Clarim longínquo matinal!) / O DESEJADO enfim regresse / A Portugal![4]

Outro poema intitulado «Quinto Império», composto entre 1923 e 1935, completado pois quando a Mensagem *já tinha sido publicada, está concebido como uma convocatória a todos os grandes portugueses do passado, para que, transcendendo os Impérios anteriores, venham ajudar a construir o* Portugal de Deus, que é o Portugal do Quinto Império, isto é, o Portugal feito Universo, / Que reúne, sob os amplos céus, / O corpo anónimo e disperso / De OSÍRIS, Deus *ou (e esta quadra, que é a última do poema, constitui, com a sua sugestão nitidamente cristã, uma novidade no conjunto da obra do poeta),* Aquele inteiro Portugal, / Que, universal perante a cruz, / Reza, ante a cruz universal, / Ao Deus Jesus[5].

---

1 *Sobre Portugal*, ob. cit., p. 202.
2 *Ibid.*, p. 196.
3 De «À memória do Presidente-Rei Sidónio Pais», neste volume, p. 132.
4 *Ibid.*, p. 133.
5 Do poema «Quinto Império», *ibid.*, p. 140.

1935. O ano da morte do poeta. Até ao fim, pensou pois Fernando Pessoa no Encoberto, *no* Quinto Império, *num Portugal salvo da mediocridade e do fulgor baço da sua tristeza, num Portugal, enfim, redimido e restaurado...*

14 — O amor, tentação e frustração

O «momento» eufórico do Orpheu. *O grupo. Logo, contudo, a dispersão dos amigos, a morte dramática de Mário de Sá-Carneiro, os quartos alugados. A vida de café, na Lisboa pacata dos anos 20, dos anos 30. A correspondência comercial, as traduções, uma existência poupada e modesta, por fora uma vida tranquila e sem história, mas, por dentro, um vulcão de ideias e emoções em permanente actividade. Paixão da criação poética, paixão do absoluto, paixão do Portugal onírico do seu imaginário. Uma atenção torturada à política portuguesa.*

Mas sempre, sempre, o retorno ao desolamento dos seus quartos áridos, quartos de monge, quartos de homem infinitamente solitário, onde até altas horas da noite, na insónia de quem se afastava cada vez mais de qualquer forma de convívio mais caloroso ou íntimo, ia escrevendo, febrilmente, centenas, milhares de páginas: notas, apontamentos, esboços de artigos, projectos, prefácios, dramas por acabar, poemas...

O amor? Tão difícil para um homem como ele, com os seus traumas de infância, com os seus complexos, com o seu pudor extremo, com as suas inibições!

Contudo, contudo, Ofélia...

Sim, por um período breve, demasiado breve, Fernando Pessoa apaixonou-se, namorou, pensou em casar. Foi em Janeiro de 1920 que conheceu Ofélia Queirós, numa das casas comerciais onde costumava colaborar. Pouco depois, seguindo-se a declarações e trocas de cartas, precisamente a partir da carta que o poeta lhe escreveu a 1 de Março de 1920, começou o namoro, um «namoro simples», como ela própria viria dizer muito mais tarde, até certo ponto igual ao de toda a gente, embora o Fernando nunca tivesse querido ir a minha casa[1].

Do que foi este namoro, do que foi o amor de Fernando Pessoa, testemunham-no, não só as 51 cartas que escreveu a Ofélia, mas também o texto evocativo por ela escrito e que antecede a publicação desta correspondência, na edição da Ática.

---

[1] Fernando Pessoa, *Cartas de Amor,* ed. Ática, Lisboa, 1979, p. 30.

Publicado em 1979, o livro surpreendeu, sobretudo ao revelar um Fernando Pessoa (então com 32 anos) apaixonado como um adolescente. Logo num dos primeiros encontros, conta-o a própria Ofélia, o Fernando agarrou-me pela cintura, abraçou-me e, sem dizer uma palavra, beijou-me, beijou-me apaixonadamente, como um louco[1].

Como decorreu o convívio entre o poeta-filósofo de espécie complicada e a rapariga, pequena e magra, com uma figura engraçada, alegre, esperta e independente[2], então com 19 anos? Pois de uma maneira muito simples: Passeávamos e conversávamos acerca de tudo, das cousas mais simples. Da poesia, dos livros que lia, das suas aspirações, da família[3]. E Ofélia recorda: O Fernando adorava-me, e tinha uns repentes de paixão que me assustavam, mas que, ao mesmo tempo, me divertiam[4].

Há quem tenha ficado desiludido com as cartas de amor de Fernando Pessoa, cheias de uma ternura nada intelectual, muitas vezes piegas, tratando a namorada como uma criança, chamando-lhe anjinho-bebé, Bebé-menininho, Meu amor pequenininho, Bebé pequeno e rabino, etc., ou mandando-lhe Jinhos, jinhos e mais jinhos. Ao contrário, e não recusando de modo algum a ideia expressa por exemplo por Yvette Centeno, de que o poeta infantilizou a namorada para a tornar inacessível[5], estas cartas humanizam-no, mostrando uma sua faceta que, embrionária embora e não podendo adquirir a expansão que noutras circunstâncias teria podido esperar-se, era afinal profunda na sua alma. Pessoa é talvez um grande poeta de amor, frustrado quase à nascença...

Aliás, parece ter previsto a reacção que elas viriam a provocar mais tarde em muitas pessoas, quando escreveu um mês antes de morrer, pela pena de Álvaro de Campos, que Todas as cartas de amor são / Ridículas. / Não seriam cartas de amor se não fossem ridículas. / Também escrevi em meu tempo cartas de amor, / Ridículas. / As cartas de amor, se há amor, / Têm de ser ridículas, / Mas afinal as criaturas que nunca escreveram/ Cartas de amor / É que são / Ridículas[6]. E comentava logo a seguir, com saudosa melancolia: Quem me dera no tempo em que escrevia / Sem dar por isso / Cartas de amor / Ridículas...

Fernando Pessoa, escreve Ofélia Queirós, era de uma delicadeza e duma ternura imensa. Quase todos os dias me levava um

---

1 Cartas de Amor, ob. cit., pp. 21 e 22.
2 Ibid., pp. 13, 26 e 32.
3 Ibid., p. 30.
4 Ibid., pp. 31 e 32.
5 «Ofélia-bebézinho ou o horror do sexo», in Fernando Pessoa, o Amor, a Morte, a Iniciação, ob. cit.
6 Poesias de Álvaro de Campos, Publicações Europa-América, ob. cit.

presente, que escondia dentro das gavetas da minha secretária, como já contei, para me fazer uma surpresa quando eu chegava pela manhã[1]. *Mas, ao mesmo tempo, tinha pudor de mostrar aos outros o namoro:* Não digas a ninguém que «nos namoramos». É ridículo. Amamo-nos[2]. *Mas noutra página:* Vivia muito isolado, como se sabe. Muitas vezes não tinha quem o tratasse e queixava-se-me. Estava realmente muito apaixonado por mim, posso dizê-lo, e tinha uma necessidade enorme da minha companhia, da minha presença. Dizia-me, numa carta: «Não imaginas as saudades que te sinto nestas ocasiões de doença, de abatimento, de tristeza...» E mostra-o bem, nesta quadra que me fez: «Quando passo o dia inteiro / Sem ver o meu amorzinho / Cobre-me um frio de Janeiro / No Junho do meu caminho»[3].

Contudo, ao fim de sete ou oito meses de namoro, as relações entre os dois perturbaram-se, sobretudo pela repugnância que o poeta sentia em integrar-se, «burguesmente», na família de Ofélia. As cartas deste período reflectem amuos, desencantos e até ofensas, desculpando-se Pessoa de faltar aos encontros, ou de desaparecer, com a depressão psíquica que estaria a atravessar. Até que, depois de uma carta magoada de Ofélia, de 29 de Novembro, o poeta confirmava-lhe a ruptura com uma carta admirável de delicadeza: O Tempo, que envelhece as faces e os cabelos, envelhece também, mas mais depressa ainda, as afeições violentas. A maioria da gente, porque é estúpida, consegue não dar por isso, e julga que ainda ama porque contraiu o hábito de se sentir amar. *E ainda:* Fiquemos um para o outro, como dois conhecidos desde a infância, que se amaram um pouco quando meninos e, embora na vida adulta sigam outras afeições e outros caminhos, conservam sempre, num escaninho da alma, a memória profunda do seu amor antigo e inútil.

Enfim, evocando o seu destino, a sua missão, os seus misteriosos ou imaginários Mestres Rosa-Cruzes, a sua fidelidade iniciática ou metafísica a um voto ou a uma lei sobre-humana: O meu destino pertence a outra lei, de cuja existência a Ofelinha nem sabe e está subordinada cada vez mais à obediência a Mestres que não permitem nem perdoam[4].

Nove anos depois, no entanto, em princípios de Setembro de 1929, como o poeta Carlos Queirós trouxesse para casa um retrato em que se via Fernando Pessoa bebendo um copo no Abel Pereira da Fonseca, Ofélia, que era sua tia, achou-lhe graça e disse-o ao so-

---

1 *Cartas de Amor, ob. cit.*, p. 28.
2 *Ibid.*, p. 30.
3 *Ibid.*, p. 69.
4 *Ibid.*, pp. 131 a 133. Carta de 29-11-1920.

brinho. Passados tempos, o poeta mandava-lhe uma cópia do mesmo retrato, com a dedicatória: Fernando Pessoa em flagrante «delitro»[1].

Recomeçou então o namoro, embora num registo um pouco diferente. O poeta tinha agora 41 anos, Ofélia 28. O Fernando estava diferente. Não só fisicamente, pois tinha engordado bastante, mas, e principalmente, na sua maneira de ser. Sempre nervoso, vivia obcecado pela sua obra. Muitas vezes me dizia que tinha medo de não me fazer feliz, devido ao tempo que tinha de dedicar a essa obra. *Quando se casassem, isso seria um problema:* Disse-me um dia: «Durmo pouco e com um papel e uma caneta à cabeceira. Acordo durante a noite e escrevo, tenho que escrever, e é uma maçada porque depois o Bebé não pode dormir descansado.»

Como poderia, por outro lado, ganhar o suficiente para dar a Ofélia o nível de vida a que estava habituada? Ele não queria trabalhar todos os dias, *continua Ofélia,* porque queria dias só para si, para a sua vida, que era a sua grande obra. Tudo o resto lhe era indiferente. Não era ambicioso nem vaidoso. Era simples e leal[2].

Mas a correspondência desta segunda fase do namoro reflecte tensão, nervosismo, problemas psíquicos. Surge por vezes um humor negro, que não é alheio ao facto de o poeta beber agora muito (embora nunca ao ponto de se embriagar). Cartas que oscilam entre a ternura apaixonada (... e gostava de lhe dar um beijo na boca, com exactidão e gulodice, e comer-lhe a boca e comer os beijinhos que tivesse lá escondidos...[3]) *e estados de alucinação* (... porque é que a Ofelinha gosta de um meliante e de um cevado e de um javardo e de um indivíduo com ventas de contador de gás e expressão geral de não estar ali mas na pia da casa do lado, e exactamente, e enfim, e vou acabar porque estou doido, e estive sempre, e é de nascença, que é como quem diz desde que nasci, e eu gostava que a Bebé fosse uma boneca minha e eu fazia como uma criança, despia-a, e o papel acaba aqui mesmo, e isto parece impossível ser escrito por um ente humano, mas é escrito por mim[4]).

As cartas de Fernando Pessoa foram manifestando pouco a pouco uma grande perturbação psicológica. Escrevemo-nos e vimo-nos até Janeiro de 1930, *relata Ofélia.* Nessa altura, o Fernando Pessoa dizia-me constantemente que estava doido. Basta ler duas das suas últimas cartas, datadas até do mesmo dia, para se compreender o estado de espírito em que vivia. *De resto,* já não respondi às suas últimas cartas, porque achei que já não eram para res-

---

1 *Cartas de Amor,* ob. cit., pp. 40 e 41.
2 *Ibid.,* pp. 41 e 42.
3 *Ibid.,* pp. 155 e 156. Carta de 20-10-1929
4 *Ibid.*

ponder. Não valia a pena. Sentia que já não tinham resposta. *Contudo acrescenta:* Penso que ainda gostava de mim[1].

Entre princípios de Setembro de 1929 e a última carta de Fernando Pessoa, a 11 de Janeiro de 1930, mediaram apenas quatro meses. Mas a lembrança e a saudade de Ofélia, de um amor verdadeiro mas cortado, bloqueado e impossibilitado devido ao seu próprio problema, à sua inibição ou à sua obediência à outra Lei, *deixaram sulcos na sua alma e até na sua poesia.*

Alguns meses depois, ao chegar o Natal do ano de 1930, o poeta recorda com nostalgia a janela da casa de Ofélia, onde passava todos os dias, fazendo-lhe um sinal, sempre por ela correspondido: Por trás daquela janela / Cuja cortina não muda / Coloco a visão daquela / Que a alma em si mesmo estuda / No desejo que a revela. *E ainda:* Além da cortina é o lar, / Além da janela o sonho[2].

No ano seguinte, de novo a evocava, saudoso e também temeroso: Vê-la faz pena de 'sperança, / Loura, olha azul com expansão. / Tem um sorriso de criança: / Sorri até ao coração. [...] Parece quase mal que alguém / Venha a violá-la por mulher[3].

E, em 1933, ainda comentava a frustração do seu amor por Ofélia nestes termos: Meu coração tardou. Meu coração / Talvez se houvesse amor nunca tardasse! / Mas, visto que se o houve, o houve em vão, / Tanto me faz que o amor houvesse ou não. / Tardou. Antes, de inútil acabasse. *E, como epitáfio de um amor desaparecido, epitáfio da sua própria alma desiludida:* Nunca nem eu nem meu coração / Fomos mais que um vestígio de passagem / Entre um anseio vão e um sonho vão. / Parceiros em prestidigitação, / Caímos ambos pelo alçapão. / Foi esta a nossa vida e a nossa viagem[4].

Se quisermos ir ao fundo do problema, o que caracterizou o drama de Pessoa no respeitante à relação com o outro sexo terá sido uma proibição interior, uma autocensura *ao nível do inconsciente, um bloqueio inultrapassável, que os psicólogos explicarão e de que o próprio escritor, inteligente como era, teve plena consciência. Não foi por acaso que o terceiro tema do poema dramático «Primeiro Fausto», intitulado* A falência do prazer e do amor, *foi escrito precisamente depois da segunda ruptura com Ofélia, entre 1931 e 1933.*

Tudo resumiu o poeta nos versos terríveis, já citados: Ó horror metafísico de ti! / Sentido por instinto, não na mente! / Vil metafísica do horror da carne, / Medo do amor...[5] *Logo depois:* Entre o

[1] *Cartas de Amor, ob. cit.,* pp. 42 e 43.
[2] Poema sem título, de 25-12-1930, v. *Poesia II,* Publicações Europa-América, *ob. cit.*
[3] Poema sem título, de 7-9-1931, v. *Poesia II, ob. cit.*
[4] Poema sem título, de 19-9-1933, v. *Poesia II, ob. cit.*
[5] *Poemas Dramáticos, ob. cit.,* p. 119.

teu corpo e o meu desejo dele / 'Stá o abismo de seres consciente;
Pudesse-te eu amar sem que existisses / E possuir-te sem que al
estivesses[1].

E pungentemente, na última estrofe, encerrando o tema ou o ac
to: Reza por mim! / A mim não me enterneço. / Só por mim mes
mo sei enternecer-me, / Sob a ilusão de amar e de me sentir / En
que forçosamente me detive. / Reza por mim, por mim! Eis a qu
chega / A minha tentativa (em) querer amar[2].

15 — «Nunca ninguém se perdeu. / Tudo é verdade e caminho.»

Datada de 26-8-1930 (alguns meses depois da ruptura com Ofé
lia), é comovente esta quadra encontrada no espólio: E ou jazig
haja / ou sótão com pó, / Bebé foi-se embora. / Minha alma está só
Em verdade agora mais solitário do que nunca (embora nunca ti
vesse deixado de conviver com alguns amigos literários ou compa
nheiros de ideal, como Augusto Ferreira Gomes nos últimos anos),
Fernando Pessoa entregou-se, entre 1930 e 1935, a uma actividade
criativa febril.

Dois prefácios doutrinários: ao livro de poesias Alma Errante
(1932), do livreiro judeu-eslavo Eliezer Kamenezky (sobre a ideali
dade judaica, a Maçonaria e os Rosa-Cruzes); e ao poema Quinto
Império *(1934), de Augusto Ferreira Gomes (sobre este mesmo mi*
to). E, além de outros prefácios de menor importância quanto a
nós (aos Acrónios *de Luís Pedro ou aos* Motivos de Beleza *de Antó*
nio Botto) uma intensa colaboração, em geral com poemas, em re
vistas e jornais como o Notícias Ilustrado, *a* Presença, *o* Descobrimento, *a* Fama, *o* Mundo Português, *o* Sudoeste, *o* Diário de Lisboa
ou o Momento.

Contudo, não esquecendo o folheto sobre (A Maçonaria) Associações Secretas *e bem entendido todos os numerosos textos encon*
trados no espólio e nunca publicados, o mais importante evento
deste ano foi a publicação da Mensagem, *em edição da Parceria*
António Maria Pereira, 1934.

Como alguns dos seus amigos da Presença não tivessem concor
dado com a publicação deste livro, de carácter nacionalista, antes
do resto da sua poesia, Fernando Pessoa, parecendo concordar
com eles, escreveu no entanto, a Adolfo Casais Monteiro, que a
publicação do livro coincidia com um dos momentos críticos (no

1 *Poemas Dramáticos*, ob. cit., p. 128.
2 *Ibid.*, p. 128.

sentido original da palavra) de remodelação do subconsciente nacional. *E, cripticamente, em linguagem iniciática:* O que fiz agora e se completou por conversa, fora exactamente talhado, com Esquadria e Compasso, pelo Grande Arquitecto do Universo[1].

Como é sabido, Fernando Pessoa concorreu com a Mensagem *a um dos prémios recentemente criados pelo Secretariado de Propaganda Nacional, dirigido por António Ferro, o prémio Antero de Quental. Contudo o júri, presidido por este escritor e político, apenas com direito de voto para desempate, atribuiu o prémio ao livro* Romaria, *de Vasco Reis, alegando que* Mensagem *não tinha o número regulamentar de 100 páginas.*

Foi então que António Ferro, seu velho amigo e antigo companheiro do Orpheu, *como ele modernista, não podendo sobrepor-se ao parecer maioritário do júri, deliberou aumentar de 1000$00 para 5000$00, especialmente para Fernando Pessoa, o montante preciso para os livros com menos de 100 páginas. Não se tratou pois, conforme por vezes foi dito, de um prémio de segunda categoria. Mas antes da correcção de uma injustiça burocrática, através da única forma possível, na circunstância, a António Ferro. Mais tarde, numa página encontrada no espólio, esboço de um artigo (que não chegou a ser publicado) sobre a* Mensagem, *escrevia o próprio Pessoa, mostrando tê-lo compreendido perfeitamente, que foi esse livro premiado, em condições especiais e para mim muito honrosas, pelo Secretariado da Propaganda Nacional*[2].

1930-1935. Anos, também, de angústia crescente, de solidão desolada, de aridez nas relações afectivas.

A sua própria poesia o testemunha, desgarradoramente: E toda a noite ouvi o vento / Por sobre a chuva irreal soprar / E toda a noite o pensamento / Não me deixou um só momento / Como uma maldição do ar. / E toda a noite não dormida / Ouvi bater meu coração / Na garganta da minha vida[3] *(1932).*

No ano seguinte: Falhei: Os astros seguem seu caminho. / Minha alma, outrora num universo meu, / É hoje, sei, um lúgubre escaninho / De consciência sob a morte e o céu[4]. *(1933.) Ou também:* Deixei de ser aquele que esperava, / Isto é, deixei de ser quem nunca fui...[5] *(1933.)*

Fernando Pessoa continuava a beber muito. Sentia-se cada vez mais só: Na véspera de nada / Ninguém me visitou. / Olhei atento a estrada / Durante todo o dia / Mas ningém vinha ou via, / Ninguém aqui chegou[6] *(1934).*

---

1 Carta de 13-1-1935, in *Páginas de Doutrina Estética, ob. cit.,* p. 256.
2 V. Apêndice, p. 171.
3 Poema sem título, de 1932, v. *Poesia II, ob. cit.*
4 Poema sem título, de 1-2-1933, *ob. cit.*
5 Poema sem título, de 10-2-1933, *ob. cit.*
6 Poema sem título, 11-10-1934, v. *Poesia III, ob. cit.*

No princípio do novo ano escreve com a alma gelada: Tenho a alma pobre e fria... / Ah, com que esmola a aquecerei?...[1] *(1935.)*

É neste último ano da sua vida que completa o poema-ode «Quinto Império», onde emerge ainda, poderosa, a sua grande confiança transcendental e profética na pátria prometida, quando apela: Aqui! Aqui! Todos que são / O Portugal que é tudo em si, / Venham do abismo ou da ilusão, / Todos aqui![2]

Contudo, ao aproximar-se do dia do seu aniversário, nos primeiros dias de Junho de 1935, pela primeira vez, ao longo de tantos anos, uma brecha quase desesperada se abre em tal confiança, levando mais fundo do que nunca, porque agora ferido pela dúvida, aquele intenso sofrimento patriótico que descrevera na já citada página de 1908, escrita aos 20 anos.

Fora lúcido nos últimos versos da Mensagem, *na estrofe que principia* Nem Rei nem lei, nem paz nem guerra, / Define com perfil e ser / Este fulgor baço de terra / Que é Portugal a entristecer[3]... *Mas depois dos dois versos famosos,* Tudo é disperso, nada é inteiro. / Ó Portugal, hoje és nevoeiro...[4], *pusera todo o seu poder de convicção, de fé, de esperança, na injunção forte e mágica:* É a Hora!

Mas como a hora tardava, nos longos dias de solitude, quando os seus versos de fogo pareciam perdidos nas páginas de revistas e livros que ninguém lia, quando tudo continuava desesperadamente igual e nenhum Encoberto nem nenhum Quinto Império se esboçavam no horizonte. Foi então que escreveu o mais profundamente triste e desiludido poema da sua vida, sobre a pátria amada e adiada, a «Elegia na Sombra». Lenta, a raça esmorece, e a alegria / É como uma memória de outrem. Passa / Um vento frio na nossa nostalgia / E a nostalgia touca a desgraça. / Pesa em nós o passado e o futuro. / Dorme em nós o presente. E a sonhar / A alma encontra sempre o mesmo muro, / E encontra o mesmo muro ao despertar. // Quem nos roubou a alma? Que bruxedo / De que magia incógnita e suprema / Nos enche as almas de dolência e medo / Nesta hora inútil, apagada e extrema? // Os heróis resplendecem a distância. / Num passado impossível de se ver / Com os olhos da fé ou os da ânsia / Lembramos névoas, sonhos a esquecer.

O poeta pergunta-se: Que crime outrora feito, que pecado / Nos impôs esta estéril provação?... *Ou:* Que vitória maligna conseguimos — / Em que guerras, com que armas, com que armada?...

Como é possível? Terra tão linda, com heróis tão grandes [...] Tanta beleza dada a tanta glória ida! [...] *Vemo-nos agora porém*

---

1 Poema sem título, de 7-1-1935, v. *Poesia III, ob. cit.*
2 De «Quinto Império», neste volume, *ob. cit.*, p. 139.
3 «Nevoeiro», in *Mensagem, ibid.*, p. 123.
4 *Ibid.*

como um Povo sem nexo, raça sem suporte [...] Plagiários da sombra e do abandono, / Registremos, quietos e vazios, / Os sonhos que há antes que venha o sono...

É com aflição que canta, nesta elegia decadentista: Oh, que há--de ser de nós? Raça que foi / Como que um novo sol ocidental / Que houve por tipo o aventureiro e o herói / E outrora teve nome Portugal...

A sombra do Encoberto ainda se sente nestes versos, mas interrogativamente, como se receando a esperança: Quando é a tua Hora e o teu Exemplo? / Quando é que vens, do fundo do que é dado, / Cumprir teu rito, reabrir teu Templo / Vendando os olhos lúcidos do Fado? *Mais adiante, dirigindo-se à pátria:* Vives, sim, vives porque não morreste... / Mas a vida que vives é um sono / Em que indistintamente o teu ser veste / Todos os sambenitos do abandono. / Dorme, ao menos, de vez. O Desejado / Talvez não seja mais que um sonho louco / De quem, por muito ter, Pátria, amado, / Achou que todo o amor por ti é pouco.

E enfim: Dorme, que tudo cessa, e tu com tudo,/ Quererias viver eternamente,/ Ficção eterna ante este espaço mudo/ Que é um vício azul?[...][1]

Depois da «Elegia na Sombra», o seu último grande poema, mais triste e desolado do que o «Só» do seu mestre António Nobre, todo o lirismo de Fernando Pessoa parece vaticinar o fim próximo.

Em Julho escreve: Já estou tranquilo. Já não espero nada. / Já sobre o meu vazio coração / Desceu a inconsciência abençoada / Do meu querer uma ilusão[2].

E a 19 de Novembro: Há doenças piores que as doenças, / Há dores que não doem, nem na alma / Mas que são dolorosas mais que as outras [...][3].

Os últimos versos deste poema, os derradeiros que escreveu, pelo menos dos que estão datados, assim rezam, em desespero: Por sobre a alma e o adejar inútil / Do que não foi, nem pôde ser, e é tudo. / Dá-me mais vinho, porque a vida é nada.

E foi o vinho, foi a aguardente, o entorpecente habitual dos seus fins-de-tarde infinitamente melancólicos, que, destruindo-lhe o fígado, o matou. De 27 para 28 de Novembro, depois de uma gravíssima crise hepática, foi levado para o Hospital de S. Luís. Aí, apesar de todos os esforços médicos, morreu a 30 de Novembro.

O poeta foi enterrado no Cemitério dos Prazeres, em campa rasa. Acompanharam-no apenas alguns amigos fiéis, como Almada Negreiros, Alfredo Guisado, Raul Leal, António Ferro, Mário Saa, António Botto, Augusto Ferreira Gomes ou Luís de Montalvor, que

---

[1] De «Elegia na Sombra», neste volume, pp. 141 a 144.
[2] Poema sem título, de 20-7-1935, v. *Poesia III, ob. cit.*
[3] Poema sem título, de 19-11-1935, *ibid.*

leu um texto ou disse um improviso[1]. *Não foi a sua última morada,*
porque, cinquenta anos depois, foi transladado para os Jerónimos,
onde jaz agora ao lado de Camões.

Conta-se que o poeta, pouco antes de expirar, perguntou em voz
alta:

— Amanhã a estas horas, onde estarei?

Mas a resposta, queremos crer, ele a terá podido dar a si pró-
prio ainda, porventura encontrando num recesso fundo da sua me-
mória aquele poema de 1932, em que a intuição da imortalidade o
bafejou por momentos de esperança:

A morte é a curva da estrada,
Morrer é só não ser visto.
Se escuto, eu te oiço a passada
Existir como eu existo.

A terra é feita de céu.
A mentira não tem ninho.
Nunca ninguém se perdeu.
Tudo é verdade e caminho[2].

Cascais, Junho de 1985.

---

[1] João Gaspar Simões, *Retratos de Poetas Que Conheci*, Brasilia Editora,
Porto, 1974, do cap. «Fernando Pessoa», p. 78.
[2] Poema sem título, de 23-5-1932, v. *Poesia II, ob. cit.*

NOTA EDITORIAL

Nesta edição da *Obra Poética* de Fernando Pessoa, destinada sobretudo a um vasto público que tem tido dificuldade em encontrar as suas poesias convenientemente reunidas segundo um critério unitário e lógico, seguimos um critério baseado nos seguintes pontos:

1.º Publicam-se por agora os poemas escritos originalmente em português, excluindo portanto os escritos em inglês e em francês.

2.º Reúnem-se os poemas já anteriormente publicados pela Ática e pela Aguilar, do Rio de Janeiro, bem como alguns outros publicados dispersamente em revistas ou jornais.

3.º A ordem de publicação dos volumes não é arbitrária. Principia-se pela *«Mensagem» e Outros Poemas Afins,* para obedecer ao próprio critério do autor, que entendeu fazer sair a *Mensagem* antes de quaisquer outros livros de poesia em língua portuguesa, pelas razões que explicou numa carta a Adolfo Casais Monteiro, de 13-1-1935[1].

Em seguida, os volumes de *Poesia I, II e III,* que reúnem a lírica ortónima, isto é, a lírica que o poeta assinou com o seu próprio nome. Ordenámos cronologicamente esta poesia, procurando pois dar uma unidade aos vários volumes até há pouco publicados, em antologias cuja dispersão não permitia uma visão evolutiva e de conjunto. Assinalaremos contudo as poesias publicadas em vida pelo próprio autor, até porque regra geral são as mais trabalhadas, revelando ainda uma intenção de divulgação que as torna especialmente importantes relativamente às restantes. Todas as poesias datadas pelo poeta assim aparecerão. As que o foram só com a indicação do ano, ou mesmo sem qualquer indicação, serão colocadas, ou no termo de

---

1 In *Páginas de Doutrina Estética.*

cada ano, ou no termo do conjunto. O I volume abre com os *Primeiros Poemas* de Pessoa, separando-os dos já maduros, não incluindo embora alguns poemas infantis seus. No último volume inserir-se-ão as poesias de feição popular, as poesias escritas para crianças e as poesias satíricas. Com excepção dos poemas da adolescência, publicados por H. D. Jennings, todos os restantes foram anteriormente publicados nas edições da Ática e da Aguilar. Indicam-se em rodapé as referências aos que foram publicados em vida de Pessoa.

Os volumes que incluem *A Poesia dos Heterónimos* reunirão os poemas assinados pelos heterónimos, semi-heterónimos e pseudónimos de Pessoa, nomeadamente Alberto Caeiro, Ricardo Reis, Álvaro de Campos, Bernardo Soares e C. Pacheco.

Nesta edição não se incluem os *Poemas Dramáticos*, por pertencerem já ao género teatral.

4.º Todos os volumes apresentarão, em «Apêndice», textos de apoio às obras poéticas nelas reunidas, constituídos por ensaios, artigos, depoimentos, fragmentos ou apontamentos do próprio Fernando Pessoa, ora incidindo sobre tais obras em si próprias, ora esclarecendo o seu pensamento nas respectivas áreas, ora revelando a sua reflexão teórica e estética, o que permitirá ao leitor um melhor conhecimento das diversas facetas da sua personalidade e da sua obra, e uma compreensão mais adequada da sua génese e da sua relação com um conjunto multímodo, se não labiríntico, na relação de criação poética com o substrato intelectual e psicológico em que radica.

5.º Não se trata de uma *edição crítica*. Sabe-se que os organizadores das primeiras edições dos volumes de poesia de Fernando Pessoa, a quem cabe um inegável mérito, tiveram dificuldades de leitura, sobretudo no que se refere aos originais manuscritos. Surgem por vezes variantes, em muitas poesias, quer por haver mais do que uma leitura possível da mesma palavra, quer por haver discrepâncias entre várias edições.

Por nossa parte, utilizámos simplesmente as versões mais plausíveis, sem a preocupação de dar, em rodapé ou em apêndice, todas as variantes possíveis.

A propósito, aproveitamos para prestar a nossa homenagem ao trabalho tão valioso e pioneiro dos que organizaram e fixaram os textos das primeiras edições e de outras sobre que trabalhámos, como em primeiro lugar Luís de Montalvor e João Gaspar Simões, e em seguida Vitorino Nemésio, Jorge Nemésio, Georg Rudolf Lind, Jacinto do Prado Coelho, Maria do Rosário Marques Sabino e Adelaide Maria Monteiro Sereno, quanto às edições da Ática, bem como Pedro Veiga (Petrus), no que se refere às suas edições portuenses, e Maria Aliette Galhoz quanto às da Aguilar, do Rio de Janeiro.

6.º Uma «Biobibliografia» básica, cujas vantagens são óbvias, sobretudo para estudiosos de Fernando Pessoa e para estudantes, acompanha enfim a edição desta *Obra Poética*.

A. Q.

ODES
de
RICARDO REIS

Mestre, são plácidas
Todas as horas
Que nós perdemos.
Se no perdê-las,
Qual numa jarra,
Nós pomos flores.

Não há tristezas
Nem alegrias
Na nossa vida.
Assim saibamos,
Sábios incautos,
Não a viver,

Mas decorrê-la,
Tranquilos, plácidos,
Tendo as crianças
Por nossas mestras,
E os olhos cheios
De Natureza...

À beira-rio,
À beira-estrada,
Conforme calha,
Sempre no mesmo
Leve descanso
De estar vivendo.

O tempo passa,
Não nos diz nada.
Envelhecemos.
Saibamos, quase
Maliciosos.
Sentir-nos ir.

Não vale a pena
Fazer um gesto.
Não se resiste
Ao deus atroz
Que os próprios filhos
Devora sempre.

Colhamos flores.
Molhemos leves
As nossas mãos
Nos rios calmos,
Para aprendermos
Calma também.

Girassóis sempre
Fitando o Sol,
Da vida iremos
Tranquilos, tendo
Nem o remorso
De ter vivido.

Os deuses desterrados,
Os irmãos de Saturno,
Às vezes, no crepúsculo
Vêm espreitar a vida.

Vêm então ter connosco
Remorsos e saudades
E sentimentos falsos.
É a presença deles,
Deuses que o destroná-los
Tornou espirituais,
De matéria vencida,
Longínqua e inactiva.

Vêm, inúteis forças,
Solicitar em nós
As dores e os cansaços,
Que nos tiram da mão,
Como a um bêbedo mole,
A taça da alegria.

Vêm fazer-nos crer,
Despeitadas ruínas
De primitivas forças,

Que o mundo é mais extenso
Que o que se vê e palpa,
Para que ofendamos
A Júpiter e a Apolo.

Assim até à beira
Terrena do horizonte
Hiperíon no crepúsculo
Vem chorar pelo carro
Que Apolo lhe roubou.

E o poente tem cores
Da dor dum deus longínquo
E ouve-se soluçar
Para além das esferas...
Assim choram os deuses.

Coroai-me de rosas,
Coroai-me em verdade
    De rosas —
Rosas que se apagam
Em fronte a apagar-se
    Tão cedo!
Coroai-me de rosas
E de folhas breves.
    E basta.

O deus Pã não morreu,
Cada campo que mostra
Aos sorriso de Apolo
Os peitos nus de Ceres —
Cedo ou tarde vereis
Por lá aparecer
O deus Pã, o imortal.

Não matou outros deuses
O triste deus cristão.
Cristo é um deus a mais,
Talvez um que faltava.
Pã continua a dar
Os sons da sua flauta
Aos ouvidos de Ceres
Recumbente nos campos.

Os deuses são os mesmos,
Sempre claros e calmos,
Cheios de eternidade
E desprezo por nós,
Trazendo o dia e a noite
E as colheitas douradas
Sem ser para nos dar
O dia e a noite e o trigo
Mas por outro e divino
Propósito casual.

De Apolo o carro rodou pra fora
Da vista. A poeira que levantara
Ficou enchendo de leve névoa
        O horizonte;

A flauta calma de Pã, descendo
Seu tom agudo no ar pausado,
Deu mais tristezas ao moribundo
        Dia suave.

Cálida e loura, núbil e triste,
Tu, mondadeira dos prados quentes,
Ficas ouvindo, com os teus passos
        Mais arrastados,

A flauta antiga do deus durando
Com o ar que cresce pra vento leve,
E sei que pensas na deusa clara
        Nada dos mares,

E que vão ondas lá muito adentro
Do que o teu seio sente cansado
Enquanto a flauta sorrindo chora
        Palidamente.

Vem sentar-te comigo, Lídia, à beira do rio.
Sossegadamente fitemos o seu curso e aprendamos
Que a vida passa, e não estamos de mãos enlaçadas.
        (Enlacemos as mãos.)

Depois pensemos, crianças adultas, que a vida
Passa e não fica, nada deixa e nunca regressa,
Vai para um mar muito longe, para ao pé do Fado,
        Mais longe que os deuses.

Desenlacemos as mãos, porque não vale a pena cansarmo-nos.
Quer gozemos, quer não gozemos, passamos como o rio.
Mais vale saber passar silenciosamente
        E sem desassossegos grandes.

Sem amores, nem ódios, nem paixões que levantam a voz,
Nem invejas que dão movimento demais aos olhos,
Nem cuidados, porque se os tivesse o rio sempre correria,
        E sempre iria ter ao mar.

Amemo-nos tranquilamente, pensando que podíamos,
Se quiséssemos, trocar beijos e abraços e carícias,
Mas que mais vale estarmos sentados ao pé um do outro
        Ouvindo correr o rio e vendo-o.

Colhamos flores, pega tu nelas e deixa-as
No colo, e que o seu perfume suavize o momento —
Este momento em que sossegadamente não cremos em nada,
        Pagãos inocentes da decadência.

Ao menos, se for sombra antes, lembrar-te-ás de mim depois
Sem que a minha lembrança te arda ou te fira ou te mova,
Porque nunca enlaçamos as mãos, nem nos beijamos
        Nem fomos mais do que crianças.

E se antes do que eu levares o óbolo ao barqueiro sombrio,
Eu nada terei que sofrer ao lembrar-me de ti.
Ser-me-ás suave à memória lembrando-te assim — à beira-rio,
        Pagã triste e com flores no regaço.

Ao longe os montes têm neve ao sol,
Mas é suave já o frio calmo
        Que alisa e agudece
        Os dardos do sol alto.

Hoje, Neera, não nos escondamos,
Nada nos falta, porque nada somos.
        Não esperamos nada
        E temos frio ao sol.

Mal tal como é, gozemos o momento,
Solenes na alegria levemente,
    E aguardando a morte
    Como quem a conhece.

Só o ter flores pela vista fora
Nas áleas largas dos jardins exactos
    Basta para podermos
    Achar a vida leve.

De todo o esforço seguremos quedas
As mãos, brincando, pra que nos não tome
    Do pulso, e nos arraste
    E vivamos assim.

Buscando o mínimo de dor ou gozo,
Bebendo a goles os instantes frescos,
    Translúcidos como água
    Em taças detalhadas,

Da vida pálida levando apenas
As rosas breves, os sorrisos vagos,
    E as rápidas carícias
    Dos instantes volúveis.

Pouco tão pouco pesará nos braços
Com que, exilados das supernas luzes,
    'Scolhermos do que fomos
    O melhor pra lembrar

Quando, acabados pelas Parcas, formos,
Vultos solenes de repente antigos,
    E cada vez mais sombras,
    Ao encontro fatal

Do barco escuro no soturno rio,
E os nove abraços do horror estígio,
    E o regaço insaciável
    Da pátria de Plutão.

A palidez do dia é levemente dourada.
O sol de Inverno faz luzir como orvalho as curvas
      Dos troncos de ramos secos.
      O frio leve treme.

Desterrado da pátria antiquíssima da minha
Crença, consolado só por pensar nos deuses,
      Aqueço-me trémulo
      A outro sol do que este.

O sol que havia sobre o Parténon e a Acrópole,
O que alumiava os passos lentos e graves
      De Aristóteles falando.
      Mas Epicuro melhor

Me fala, com a sua cariciosa voz terrestre
Tendo para os deuses uma atitude também de deus
      Sereno e vendo a vida
      À distância a que está.

Não tenhas nada nas mãos
Nem uma memória na alma,

Que quando te puserem
Nas mãos o óbolo último,

Ao abrirem-te as mãos
Nada te cairá.

Que trono que querem dar
Que Átropos to não tire?

Que louros que não fanem
Nos arbítrios de Minos?

Que horas que te não tornem
Da estatura da sombra

Que serás quando fores
Na noite e ao fim da estrada?

Colhe as flores mas larga-as,
Das mãos mal as olhaste.

Senta-te ao sol. Abdica
E sê rei de ti próprio.

Sábio é o que se contenta com o espectáculo do mundo,
    E ao beber nem recorda
    Que já bebeu na vida,
    Para quem tudo é novo
    E imarcescível sempre.

Coroem-no pâmpanos, ou heras, ou rosas volúteis,
    Ele sabe que a vida.
    Passa por ele e tanto
    Corta à flor como a ele
    De Átropos a tesoura.

Mas ele sabe fazer que a cor do vinho esconda isto,
    Que o seu sabor orgíaco
    Apague o gosto às horas,
    Como a uma voz chorando
    O passar das bacantes.

E ele espera, contente quase e bebedor tranquilo,
    E apenas desejando
    Num desejo mal tido
    Que a abominável onda
    O não molhe tão cedo.

As rosas amo dos jardins de Adónis,
Essas volucres amo, Lídia, rosas,
    Que em o dia em que nascem,
    Em esse dia morrem.
A luz para elas é eterna, porque
Nascem nascido já o Sol, e acabam
    Antes que Apolo deixe
    O seu curso visível.
Assim façamos nossa vida um dia,
Inscientes, Lídia, voluntariamente
    Que há noite antes e após
    O pouco que duramos.

Cuidas, ínvio, que cumpres, apertando
Teus infecundos, trabalhosos dias
    Em feixes de hirta lenha,
    Sem ilusão a vida.
A tua lenha é só peso que levas
Para onde não tens fogo que te aqueça,
    Nem sofrem peso aos ombros
    As sombras que seremos.
Para folgar não folgas; e, se legas,
Antes legues o exemplo, que riquezas,
    De como a vida basta
    Curta, nem também dura.

Pouco usamos do pouco que mal temos.
A obra cansa, o ouro não é nosso.
    De nós a mesma fama
    Ri-se, que a não veremos
Quando, acabados pelas Parcas, formos,
Vultos solenes, de repente antigos,
    E cada vez mais sombras,
    Ao encontro fatal —
O barco escuro no soturno rio,
E os nove abraços da frieza 'stígia
    E o regaço insaciável
    Da pátria de Plutão.

Não consentem os deuses mais que a vida.
Tudo pois refusemos, que nos alce
    A irrespiráveis píncaros,
    Perenes sem ter flores.
Só de aceitar tenhamos a ciência,
E, enquanto bate o sangue em nossas fontes,
    Nem se engelha connosco
    O mesmo amor, duremos,
Como vidros, às luzes transparentes
E deixando escorrer a chuva triste,
    Só mornos ao sol quente,
    E reflectindo um pouco.

Cada coisa a seu tempo tem seu tempo.
Não florescem no Inverno os arvoredos,
Nem pela Primavera
Têm branco frio os campos.

À noite, que entra, não pertence, Lídia,
O mesmo ardor que o dia nos pedia.
Com mais sossego amemos
A nossa incerta vida.

À lareira, cansados não da obra
Mas porque a hora é a hora dos cansaços,
Não puxemos a voz
Acima de um segredo,

E casuais, interrompidas sejam
Nossas palavras de reminiscência
(Não para mais nos serve
A negra ida do sol).

Pouco a pouco o passado recordemos
E as histórias contadas no passado
Agora duas vezes
Histórias, que nos falem

Das flores que na nossa infância ida
Com outra consciência nós colhíamos
E sob uma outra espécie
De olhar lançado ao mundo.

E assim, Lídia, à lareira, como estando,
Deuses lares, ali na eternidade,
Como quem compõe roupas
O outrora compúnhamos

Nesse desassossego que o descanso
Nos traz às vidas quando só pensamos
Naquilo que já fomos,
E há só noite lá fora.

Da nossa semelhança com os deuses
Por nosso bem tiremos
Julgarmo-nos deidades exiladas

E possuindo a Vida
Por uma autoridade primitiva
E coeva de Jove.

Altivamente donos de nós-mesmos,
Usemos a existência
Como a vila que os deuses nos concedem
Para esquecer o Estio.

Não de outra forma mais apoquentada
Nos vale o esforço usarmos
A existência indecisa e afluente
Fatal do rio escuro.

Como acima dos deuses o Destino
É calmo e inexorável,
Acima de nós-mesmos construamos
Um fado voluntário
Que quando nos oprima nós sejamos
Esse que nos oprime,
E quando entremos pela noite dentro
Por nosso pé entremos.

Só esta liberdade nos concedem
Os deuses: submetermo-nos
Ao seu domínio por vontade nossa.
Mais vale assim fazermos
Porque só na ilusão da liberdade
A liberdade existe.

Nem outro jeito os deuses, sobre quem
O eterno fado pesa,
Usam para seu calmo e possuído
Convencimento antigo
De que é divina e livre a sua vida.

Nós, imitando os deuses,
Tão pouco livres como eles no Olimpo,
Como quem pela areia
Ergue castelos para encher os olhos,
Ergamos nossa vida
E os deuses saberão agradecer-nos
O sermos tão como eles.

Aqui, Neera, longe
De homens e de cidades,
Por ninguém nos tolher
O passo, nem vedarem
A nossa vista as casas,
Podemos crer-nos livres.

Bem sei, ó flava, que inda
Nos tolhe a vida o corpo,
E não temos a mão
Onde temos a alma;
Bem sei que mesmo aqui
Se nos gasta esta carne
Que os deuses concederam
Ao estado antes de Averno.

Mas aqui não nos prendem
Mais coisas do que a vida,
Mãos alheias não tomam
Do nosso braço, ou passos
Humanos se atravessam
Pelo nosso caminho.

Não nos sentimos presos
Senão com pensarmos nisso,
Por isso não pensemos
E deixemo-nos crer
Na inteira liberdade
Que é a ilusão que agora
Nos torna iguais dos deuses.

Da lâmpada nocturna
A chama estremece
E o quarto alto ondeia.

Os deuses concedem
Aos seus calmos crentes
Que nunca lhes trema
A chama da vida
Perturbando o aspecto
Do que está em roda,
Mas firme e esguiada
Como preciosa

E antiga pedra,
Guarde a sua calma
Beleza contínua.

O ritmo antigo que há em pés descalços,
Esse ritmo das ninfas repetido,
            Quando sob o arvoredo
            Batem o som da dança,
Vós na alva praia relembrai, fazendo,
Que 'scura a 'spuma deixa; vós, infantes,
            Que inda não tendes cura
            De ter cura, reponde
Ruidosa a roda, enquanto arqueia Apolo,
Como um ramo alto, a curva azul que doura,
            E a perene maré
            Flui, enchente ou vazante.

Vós que, crentes em Cristos e Marias,
Turvais da minha fonte as claras águas
            Só para me dizerdes
            Que há águas de outra espécie

Banhando prados com melhores horas —
Dessas outras regiões pra que falar-me
            Se estas águas e prados
            São de aqui e me agradam?

Esta realidade os deuses deram
E para bem real a deram externa.
            Que serão os meus sonhos
            Mais que a obra dos deuses?

Deixai-me a Realidade do momento
E os meus deuses tranquilos e imediatos
            Que não moram no Vago
            Mas nos campos e rios.

Deixai-me a vida ir-se pagãmente
Acompanhada plas avenas ténues
            Com que os juncos das margens
            Se confessam de Pã.

Vivei nos vossos sonhos e deixai-me
O altar imortal onde é meu culto
    E a visível presença
    Dos meus próximos deuses.

Inúteis procos do melhor que a vida,
Deixai a vida aos crentes mais antigos
    Que a Cristo e a sua cruz
    E Maria chorando.

Ceres, dona dos campos, me console
E Apolo e Vénus, e Úrano antigo
    E os trovões, com o interesse
    De irem da mão de Jove.

O mar jaz; gemem em segredo os ventos
    Em Éolo cativos;
Só com as pontas do tridente as vastas
    Águas franze Neptuno;
E a praia é alva e cheia de pequenos
    Brilhos sob o sol claro.
Inutilmente parecemos grandes.
    Nada, no alheio mundo,
Nossa vista grandeza reconhece
    Ou com razão nos serve.
Se aqui de um manso mar meu fundo indício
    Três ondas o apagam,
Que me fará o mar que na atra praia
    Ecoa de Saturno?

Antes de nós nos mesmos arvoredos
Passou o vento, quando havia vento,
E as folhas não falavam
De outro modo do que hoje.

Passamos e agitamo-nos debalde.
Não fazemos mais ruído no que existe
Do que as folhas das árvores
Ou os passos do vento.

Tentemos pois com abandono assíduo
Entregar nosso esforço à Natureza
E não querer mais vida
Que a das árvores verdes.

Inutilmente parecemos grandes.
Salvo nós nada pelo mundo fora
Nos saúda a grandeza
Nem sem querer nos serve.

Se aqui, à beira-mar, o meu indício
Na areia o mar com ondas três o apaga,
Que fará na alta praia
Em que o mar é o Tempo?

Acima da verdade estão os deuses.
A nossa ciência é uma falhada cópia
Da certeza com que eles
Sabem que há o Universo.

Tudo é tudo, e mais alto estão os deuses,
Não pertence à ciência conhecê-los,
Mas adorar devemos
Seus vultos como às flores,

Porque visíveis à nossa alta vista,
São tão reais como reais as flores
E no seu calmo Olimpo
São outra Natureza.

Anjos ou deuses, sempre nós tivemos
A visão perturbada de que acima
De nós e compelindo-nos
Agem outras presenças.

Como acima dos gados que há nos campos
O nosso esforço, que eles não compreendem.
Os coage e obriga
E eles não nos percebem,

Nossa vontade e o nosso pensamento
São as mãos pelas quais outros nos guiam
Para onde eles querem
E nós não desejamos.

Tirem-me os deuses
Em seu arbítrio
Superior e urdido às escondidas
O Amor, glória e riqueza.

Tirem, mas deixem-me,
Deixem-me apenas
A consciência lúcida e solene
Das coisas e dos seres.

Pouco me importa
Amor ou glória.
A riqueza é um metal, a glória é um eco
E o amor uma sombra.

Mas a concisa
Atenção dada
Às formas e às maneiras dos objectos
Tem abrigo seguro.

Seus fundamentos
São todo o mundo,
Seu amor é o plácido Universo.
Sua riqueza a Vida.

A sua glória
É a suprema
Certeza da solene e clara posse
Das formas dos objectos.

O resto passa,
E teme a morte.
Só nada teme ou sofre a visão clara
E inútil do Universo.

Essa a si basta,
Nada deseja
Salvo o orgulho de ver sempre claro
Até deixar de ver.

Bocas roxas de vinho
Testas brancas sob rosas,
Nus, brancos antebraços
Deixados sobre a mesa:

Tal seja, Lídia, o quadro
Em que fiquemos, mudos,
Eternamente inscritos
Na consciência dos deuses.

Antes isto que a vida
Como os homens a vivem,
Cheia da negra poeira
Que erguem das estradas.

Só os deuses socorrem
Com seu exemplo aqueles
Que nada mais pretendem
Que ir no rio das coisas.

Ouvi contar que outrora, quando a Pérsia
Tinha não sei qual guerra,
Quando a invasão ardia na Cidade
E as mulheres gritavam,
Dois jogadores de xadrez jogavam
O seu jogo contínuo.

À sombra de ampla árvore fitavam
O tabuleiro antigo,
E, ao lado de cada um, esperando os seus
Momentos mais folgados,
Quando havia movido a pedra, e agora
Esperava o adversário,
Um púcaro com vinho refrescava
Sobriamente a sua sede.

Ardiam casas, saqueadas eram
As arcas e as paredes,
Violadas, as mulheres eram postas
Contra os muros caídos,
Traspassadas de lanças, as crianças
Eram sangue nas ruas...
Mas onde estavam, perto da cidade,
E longe do seu ruído,
Os jogadores de xadrez jogavam
O jogo do xadrez.

Inda que nas mensagens do ermo vento
Lhes viessem os gritos,
E, ao reflectir, soubessem desde a alma
Que por certo as mulheres
E as tenras filhas violadas eram
Nessa distância próxima,
Inda que, no momento que o pensavam,
Uma sombra ligeira
Lhes passasse na fronte alheada e vaga,
Breve seus olhos calmos
Volviam sua atenta confiança
Ao tabuleiro velho.

Quando o rei de marfim está em perigo,
Que importa a carne e o osso.
Das irmãs e das mães e das crianças?
Quando a torre não cobre
A retirada da rainha branca,
O saque pouco importa.
E quando a mão confiada leva o xeque
Ao rei do adversário,
Pouco pesa na alma que lá longe
Estejam morrendo filhos.

Mesmo que, de repente, sobre o muro
Surja a sanhuda face
Dum guerreiro invasor, e breve deva
Em sangue ali cair
O jogador solene de xadrez,
O momento antes desse
(É ainda dado ao cálculo dum lance
Pra a efeito horas depois)
É ainda entregue ao jogo predilecto
Dos grandes indif'rentes.

Caiam cidades, sofram povos, cesse
A liberdade e a vida,
Os haveres tranquilos e avitos
Ardam e que se arranquem,
Mas quando a guerra os jogos interrompa,
Esteja o rei sem xeque,
E o de marfim peão mais avançado
Pronto a comprar a torre.

Meus irmãos em amarmos Epicuro
E o entendermos mais

De acordo com nós-próprios que com ele,
Aprendamos na história
Dos calmos jogadores de xadrez
Como passar a vida.

Tudo o que é sério pouco nos importe,
O grave pouco pese,
O natural impulso dos instintos
Que ceda ao inútil gozo
(Sob a sombra tranquila do arvoredo)
De jogar um bom jogo.

O que levamos desta vida inútil
Tanto vale se é
A glória, a fama, o amor, a ciência, a vida,
Como se fosse apenas
A memória de um jogo bem jogado
E uma partida ganha
A um jogador melhor.

A glória pesa como um fardo rico,
A fama como a febre,
O amor cansa, porque é a sério e busca,
A ciência nunca encontra,
E a vida passa e dói porque o conhece...

O jogo do xadrez
Prende a alma toda, mas, perdido, pouco
Pesa, pois não é nada.

Ah! sob as sombras que sem qu'rer nos amam,
Com um púcaro de vinho
Ao lado, e atentos só à inútil faina
Do jogo do xadrez,
Mesmo que o jogo seja apenas sonho
E não haja parceiro,
Imitemos os persas desta história,
E, enquanto lá por fora,
Ou perto ou longe, a guerra e a pátria e a vida
Chamam por nós, deixemos
Que em vão nos chamem, cada um de nós
Sob as sombras amigas
Sonhando, ele os parceiros, e o xadrez
A sua indiferença.

Prefiro rosas, meu amor, à pátria,
E antes magnólias amo
Que a glória e a virtude.

Logo que a vida me não canse, deixo
Que a vida por mim passe
Logo que eu fique o mesmo.

Que importa àquele a quem já nada importa
Que um perca e outro vença,
Se a aurora raia sempre,

Se cada ano com a Primavera
As folhas aparecem
E com o Outono cessam?

E o resto, as outras coisas que os humanos
Acrescentam à vida,
Que me aumentam na alma?

Nada, salvo o desejo de indif'rença
E a confiança mole
Na hora fugitiva.

Felizes, cujos corpos sob as árvores
Jazem na húmida terra,
Que nunca mais sofrem o sol, ou sabem
Das doenças da lua.

Verta Éolo a caverna inteira sobre
O orbe esfarrapado.
Lance Neptuno, em cheias mãos, ao alto
As ondas estoirando.

Tudo lhe é nada, e o próprio pegureiro
Que passa, finda a tarde,
Sob a árvore onde jaz quem foi a sombra
Imperfeita de um deus,

Não sabe que os seus passos vão cobrindo
O que podia ser,
Se a vida fosse sempre a vida, a glória
De uma beleza eterna.

Segue o teu destino,
Rega as tuas plantas,
Ama as tuas rosas.
O resto é a sombra
De árvores alheias.

A realidade
Sempre é mais ou menos
Do que nós queremos.
Só nós somos sempre
Iguais a nós-próprios.

Suave é viver só.
Grande e nobre é sempre
Viver simplesmente.
Deixa a dor nas aras
Como ex-voto aos deuses.

Vê de longe a vida.
Nunca a interrogues.
Ela nada pode
Dizer-te. A resposta
Está além dos deuses.

Mas serenamente
Imita o Olimpo
No teu coração.
Os deuses são deuses
Porque não se pensam.

Feliz aquele a quem a vida grata
Concedeu que dos deuses se lembrasse
    E visse como eles
Estas terrenas coisas onde mora
Um reflexo mortal da imortal vida.
Feliz, que quando a hora tributária
Transpor seu átrio porque a Parca corte
    O fio fiado até ao fim,
    Gozar poderá o alto prémio
    De errar no Averno grato abrigo
    Da convivência.

Mas aquele que quer Cristo antepor
Aos mais antigos Deuses que no Olimpo
    Seguiram a Saturno —
O seu blasfemo ser abandonado
Na fria expiação — até que os Deuses
De quem se esqueceu dele se recordem —
Erra, sombra inquieta, incertamente,
    Nem a viúva lhe põe na boca
    O óbolo a Caronte grato,
    E sobre o seu corpo insepulto
    Não deita terra o viandante.

Não a ti, Cristo, odeio ou te não quero.
Em ti como nos outros creio deuses mais velhos.
    Só te tenho por não mais nem menos
    Do que eles, mas mais novo apenas.

Odeio-os sim, e a esses com calma aborreço,
Que te querem acima dos outros teus iguais deuses.
    Quero-te onde tu 'stás, nem mais alto
    Nem mais baixo que eles, tu apenas.

Deus triste, preciso talvez porque nenhum havia
Como tu, um a mais no Panteão e no culto,
    Nada mais, nem mais alto nem mais puro
    Porque para tudo havia deuses, menos tu.

Cura tu, idólatra exclusivo de Cristo, que a vida
É múltipla e todos os dias são diferentes dos outros,
    E só sendo múltiplos como eles
    'Staremos com a verdade e sós.

Não a ti, Cristo, odeio ou menosprezo
Que aos outros deuses que te precederam
            Na memória dos homens.
Nem mais nem menos és, mas outro deus.

No Panteão faltavas. Pois que vieste
No Panteão o teu lugar ocupa,
        Mas cuida não procures
Usurpar o que aos outros é devido.

Teu vulto triste e comovido sobre
A 'stéril dor da humanidade antiga
  Sim, nova pulcritude
Trouxe ao antigo Panteão incerto.

Mas que os teus crentes te não ergam sobre
Outros, antigos deuses que dataram
  Por filhos de Saturno
De mais perto da origem igual das coisas,

E melhores memórias recolheram
Do primitivo caos e da Noite
  Onde os deuses não são
Mais que as estrelas súbditas do Fado.

Tu não és mais que um deus a mais no eterno
Não a ti, mas aos teus, odeio, Cristo.
  Panteão que preside
  À nossa vida incerta.

Nem maior nem menor que os novos deuses,
Tua sombria forma dolorida
  Trouxe algo que faltava
  Ao número dos divos.

Por isso reina a par de outros no Olimpo,
Ou pela triste terra se quiseres
  Vai enxugar o pranto
  Dos humanos que sofrem.

Não venham, porém, 'stultos teus cultores
Em teu nome vedar o eterno culto
  Das presenças maiores
  Ou parceiras da tua.

A esses, sim, do âmago eu odeio
Do crente peito, e a esses eu não sigo,
  Supersticiosos leigos
  Na ciência dos deuses.

Ah, aumentai, não combatendo nunca.
Enriquecei o Olimpo, aos deuses dado
  Cada vez maior força
  Plo número maior.

Basta os males que o Fado as Parcas fez
Por seu intuito natural fazerem.
Nós homens nos façamos
Unidos pelos deuses.

Sofro, Lídia, do medo do destino.
A leve pedra que um momento ergue
As lisas rodas do meu carro, aterra
Meu coração.

Tudo quanto me ameace de mudar-me
Para melhor que seja, odeio e fujo.
Deixem-me os deuses minha vida sempre
Sem renovar

Meus dias, mas que um passe e outro passe
Ficando eu sempre quase o mesmo; indo
Para a velhice como um dia entra
No anoitecer.

Uma após uma as ondas apressadas
Enrolam o seu verde movimento
E chiam a alva 'spuma
No moreno das praias.
Uma após uma as nuvens vagarosas
Rasgam o seu redondo movimento
E o sol aquece o 'spaço
Do ar entre as nuvens 'scassas.
Indiferente a mim e eu a ela,
A natureza deste dia calmo
Furta pouco ao meu senso
De se esvair o tempo.
Só uma vaga pena inconsequente
Pára um momento à porta da minha alma
E após fitar-me um pouco
Passa, a sorrir de nada.

Seguro assento na coluna firme
        Dos versos em que fico,
Nem temo o influxo inúmero futuro
        Dos tempos e do olvido;
Que a mente, quando, fixa, em si contempla
        Os reflexos do mundo,
Deles se plasma torna, e à arte o mundo
        Cria, que não a mente.
Assim na placa o externo instante grava
        Seu ser, durando nela.

Não quero as oferendas
Com que fingis, sinceros,
Dar-me os dons que me dais.
Dais-me o que perderei,
Chorando-o, duas vezes,
Por vosso e meu, perdido.

Antes mo prometais
Sem mo dardes, que a perda
Será mais na 'sperança
Que na recordação.

Não terei mais desgosto
Que o contínuo da vida,
Vendo que com os dias
Tarda o que 'spera, e é nada.

Vossa formosa juventude leda,
Vossa felicidade pensativa,
Vosso modo de olhar a quem vos olha,
        Vosso não conhecer-vos —

Tudo quanto vós sois, que vos semelha
À vida universal que vos esquece
Dá carinho de amor a quem vos ama
        Por serdes não lembrando

Quanta igual mocidade a eterna praia
De Cronos, pai injusto da justiça,
Ondas, quebrou, deixando à só memória
        Um branco som de 'spuma.

Não canto a noite porque no meu canto
O sol que canto acabará em noite.
        Não ignoro o que esqueço.
        Canto por esquecê-lo.

Pudesse eu suspender, inda que em sonho,
O apolíneo curso, e conhecer-me,
        Inda que louco, gémeo
        De uma hora imperecível!

Não quero recordar nem conhecer-me.
Somos demais se olhamos em quem somos.
        Ignorar que vivemos
        Cumpre bastante a vida.

Tanto quanto vivemos, vive a hora
Em que vivemos, igualmente morta
        Quando passa connosco,
        Que passamos com ela.

Se sabê-lo não serve de sabê-lo
(Pois sem poder que vale conhecermos?),
        Melhor vida é a vida
        Que dura sem medir-se.

A abelha que, voando, freme sobre
A colorida flor, e pousa, quase
        Sem diferença dela
        À vista que não olha,

Não mudou desde Cecrops. Só quem vive
Uma vida com ser que se conhece
        Envelhece, distinto
        Da espécie de que vive.

Ela é a mesma que outra que não ela.
Só nós —ó tempo, ó alma, ó vida, ó morte!—
        Mortalmente compramos
        Ter mais vida que a vida.

Dia após dia a mesma vida é a mesma.
     O que decorre, Lídia,
No que nós somos como em que não somos
     Igualmente decorre.
Colhido, o fruto deperece; e cai
     Nunca sendo colhido.
Igual é o fado, quer o procuremos,
     Quer o 'speremos. Sorte
Hoje, Destino sempre, e nesta ou nessa
     Forma alheio e invencível.

Flores que colho, ou deixo,
Vosso destino é o mesmo.

Via que sigo, chegas
Não sei aonde eu chego.

Nada somos que valha,
Somo-lo mais que em vão.

A flor que és, não a que dás, eu quero.
Porque me negas o que te não peço.
     Tempo há para negares
     Depois de teres dado.
Flor, sê-me flor! Se te colher avaro
A mão da infausta esfinge, tu perene
     Sombra errarás absurda,
     Buscando o que não deste.

Melhor destino que o de conhecer-se
Não frui quem mente frui. Antes, sabendo
     Ser nada, que ignorando:
     Nada dentro de nada.
Se não houver em mim poder que vença
As Parcas três e as moles do futuro,
     Já me dêem os deuses
     O poder de sabê-lo;

E a beleza, incriável por meu sestro,
Eu goze externa e dada, repetida
    Em meus passivos olhos,
    Lagos que a morte seca.

De novo traz as aparentes novas
Flores o Verão novo, e novamente
    Verdesce a cor antiga
    Das folhas redivivas.
Não mais, não mais dele o infecundo abismo,
Que mudo sorve o que mal somos, torna
    À clara luz superna
    A presença vivida.
Não mais; e a prole a que, pensando, dera
A vida da razão, em vão o chama,
    Que as nove chaves fecham
    Da Estige irreversível.
O que foi como um deus entre os que cantam,
O que do Olimpo as vozes, que chamavam,
    'Scutando ouviu, e, ouvindo,
    Entendeu, hoje é nada.
Tecei embora as, que teceis, grinaldas,
Quem coroais, não coroando a ele?
    Votivas as deponde,
    Fúnebres sem ter culto.
Fique, porém, livre da leiva e do Orco,
A fama; e tu, que Ulisses erigira,
    Tu, em teus sete montes,
    Orgulha-te materna,
Igual, desde ele, às sete que contendem
Cidades por Homero, ou alcaica Lesbos,
    Ou heptápila Tebas,
    Ogígia mãe de Píndaro.

Quão breve tempo é a mais longa vida
E a juventude nela! Ah! Cloe, Cloe,
    Se não amo, nem bebo,
    Nem sem querer não penso,
Pesa-me a lei inimplorável, dói-me

A hora invita, o tempo que não cessa,
E aos ouvidos me sobe
Dos juncos o ruído
Na oculta margem onde os lírios frios
Da ínfera leiva crescem, e a corrente
Não sabe onde é o dia,
Sussurro gemebundo.

Tão cedo passa tudo quanto passa!
Morre tão jovem ante os deuses quanto
Morre! Tudo é tão pouco!
Nada se sabe, tudo se imagina.
Circunda-te de rosas, ama, bebe
E cala. O mais é nada.

Prazer, mas devagar,
Lídia, que a sorte àqueles não é grata
Que lhe das mãos arrancam.
Furtivos retiremos do horto mundo
Os depredandos pomos.
Não despertemos, onde dorme, a Erínis
Que cada gozo trava.
Como um regato, mudos passageiros,
Gozemos escondidos.
A sorte inveja, Lídia. Emudeçamos.

Este, seu 'scasso campo ora lavrando,
Ora, solene, olhando-o com a vista
De quem a um filho olha, goza incerto
A não-pensada vida.
Das fingidas fronteiras a mudança
O arado lhe não tolhe, nem o empece
Per que concílios se o destino rege
Dos povos pacientes.
Pouco mais no presente do futuro
Que as ervas que arrancou, seguro vive
A antiga vida que não torna, e fica,
Filhos, diversa e sua.

Como se cada beijo
Fora de despedida,
Minha Cloe, beijemo-nos, amando.
Talvez que já nos toque
No ombro a mão, que chama
À barca que não vem senão vazia;
E que no mesmo feixe
Ata o que mútuos fomos
E a alheia soma universal da vida,

Tuas, não minhas, teço estas grinaldas,
Que em minha fronte renovadas ponho.
Para mim tece as tuas,
Que as minhas eu não vejo.
Se não pesar na vida melhor gozo
Que o vermo-nos, vejamo-nos, e, vendo,
Surdos conciliemos
O insubsistente surdo.
Coroemo-nos pois uns para os outros,
E brindemos uníssonos à sorte
Que houver, até que chegue
A hora do barqueiro.

Olho os campos, Neera,
Campos, campos, e sofro
Já o frio da sombra
Em que não terei olhos.
A caveira antessinto,
Que serei não sentindo,
Ou só quanto o que ignoro
Me incógnito ministre.
E menos ao instante
Choro, que a mim futuro,
Súbdito ausente e nulo
Do universal destino.

No ciclo eterno das mudáveis coisas
Novo Inverno após novo Outono volve
　　À diferente terra
　　Com a mesma maneira.
Porém a mim nem me acha diferente
Nem diferente deixa-me, fechado
　　Na clausura maligna
　　Da índole indecisa.
Presa da pálida fatalidade
De não mudar-me, me infiel renovo
　　Aos propósitos mudos
　　Morituros e infindos.

Já sobre a fronte vã se me acinzenta
O cabelo do jovem que perdi.
　　Meus olhos brilham menos,
Já não tem jus a beijos minha boca.
Se me ainda amas, por amor não ames:
　　Traíras-me comigo.

Não só vinho, mas nele o olvido, deito
Na taça: serei ledo, porque a dita
　　É ignara. Quem, lembrando
　　Ou prevendo, sorrira?
Dos brutos, não a vida, senão a alma,
Consigamos, pensando; recolhidos
　　No impalpável destino
　　Que não 'spera nem lembra.
Com mão mortal elevo à mortal boca
Em frágil taça o passageiro vinho,
　　Baços os olhos feitos
　　Para deixar de ver.

Quanta tristeza e amargura afoga
Em confusão a 'streita vida! Quanto
　　Infortúnio mesquinho
　　Nos oprime supremo!

Feliz é o bruto que nos verdes campos
Pasce, para si mesmo anónimo, e entra
        Na morte como em casa;
        Ou o sábio que, perdido
Na ciência, a fútil vida austera eleva
Além da nossa, como o fumo que ergue
        Braços que se desfazem
        A um céu inexistente.

Frutos, dão-os as árvores que vivem,
Não a iludida mente, que só se orna
Das flores lívidas
Do íntimo abismo.
Quantos reinos nos seres e nas cousas
Te não talhaste imaginário! Quantos,
Com a charrua,
Sonhos, cidades!
Ah, não consegues contra o adverso muito
Criar mais que propósitos frustrados!
Abdica e sê
Rei de ti mesmo.

Gozo sonhado é gozo, ainda que em sonho.
Nós o que nos supomos nos fazemos,
        Se com atenta mente
        Resistirmos em crê-lo.
Não, pois, meu modo de pensar nas coisas,
Nos seres e no fado me consumo.
        Para mim crio tanto
        Quanto para mim crio.
Fora de mim, alheio ao em que penso,
O Fado cumpre-se. Porém eu me cumpro
        Segundo o âmbito breve
        Do que de meu me é dado.

Solene passa sobre a fértil terra
A branca, inútil nuvem fugidia,
Que um negro instante de entre os campos ergue
Um sopro arrefecido.

Tal me alta na alma a lenta ideia voa
E me enegrece a mente, mas já torno,
Como a si mesmo o mesmo campo, ao dia
Da imperfeita vida.

Atrás não torna, nem, como Orfeu, volve
Sua face, Saturno.
Sua severa fronte reconhece
Só o lugar do futuro.
Não temos mais decerto que o instante
Em que o pensamos certo.
Não o pensemos, pois, mas o façamos
Certo sem pensamento.

A nada imploram tuas mãos já coisas,
Nem convencem teus lábios já parados,
        No abafo subterrâneo
        Da húmida imposta terra.
Só talvez o sorriso com que amavas
Te embalsama remota, e nas memórias
        Te ergue qual eras, hoje
        Cortiço apodrecido.
E o nome inútil que teu corpo morto
Usou, vivo, na terra, como uma alma,
        Não lembra. A ode grava,
        Anónimo, um sorriso.

Aqui, dizeis, na cova a que me abeiro,
Não 'stá quem eu amei. Olhar nem riso
        Se escondem nesta leira.
Ah, mas olhos e boca aqui se escondem!
Mãos apertei, na alma, e aqui jazem.
        Homem, um corpo choro!

Lenta, descansa a onda que a maré deixa.
Pesada cede. Tudo é sossegado.
          Só o que é de homem se ouve.
          Cresce a vinda da lua.
Nesta hora, Lídia ou Neera ou Cloe,
Qualquer de vós me é estranha, que me inclino
          Para o segredo dito
          Pelo silêncio incerto.
Tomo nas mãos, como caveira, ou chave
De supérfluo sepulcro, o meu destino,
          E ignaro o aborreço
          Sem coração que o sinta.

O sono é bom pois despertamos dele
Para saber que é bom. Se a morte é sono
          Despertaremos dela;
          Se não, e não é sono,

Com quanto em nós é nosso e refusemos
Enquanto em nossos corpos condenados
          Dura, do carcereiro,
          A licença indecisa.

Lídia, a vida mais vil antes que a morte,
Que desconheço, quero; e as flores colho
          Que te entrego, votivas
          De um pequeno destino.

O rastro breve que das ervas moles
Ergueu o pé findo, o eco que oco coa,
          A sombra que se adumbra,
          O branco que a nau larga —
Nem maior nem melhor deixa a alma às almas,
O ido aos indos. A lembrança esquece.
          Mortos, inda morremos.
          Lídia, somos só nossos.

Pesa o decreto atroz do fim certeiro.
Pesa a sentença igual do juiz ignoto
Em cada cerviz néscia. É entrudo e riem.
Felizes, porque neles pensa e sente
    A vida, que não eles!

Se a ciência é vida, sábio é só o néscio.
Quão pouca diferença a mente interna
Do homem da dos brutos! Sus! Deixai
    Brincar os moribundos!

De rosas, inda que de falsas, teçam
Capelas veras. Breve e vão é o tempo
Que lhes é dado, e por misericórdia
    Breve nem vão sentido.

Nos altos ramos de árvores frondosas
O vento faz um rumor frio e alto,
Nesta floresta, em este som me perco
    E sozinho medito.
Assim no mundo, acima do que sinto,
Um vento faz a vida, e a deixa, e a toma,
E nada tem sentido — nem a alma
    Com que penso sozinho.

Inglória é a vida, e inglório o conhecê-la.
Quantos, se pensam, não se reconhecem
    Os que se conheceram!
A cada hora se muda não só a hora
Mas o que se crê nela, e a vida passa
    Entre viver e ser.

Tudo que cessa é morte, e a morte é nossa
Se é para nós que cessa. Aquele arbusto
    Fenece, e vai com ele
    Parte da minha vida.
Em tudo quanto olhei fiquei em parte.

Com tudo quanto vi, se passa, passo,
      Nem distingue a memória
      Do que vi do que fui.

A cada qual, como a 'statura, é dada
      A justiça: uns faz altos
      O fado, outros felizes.
Nada é prémio: sucede o que acontece.
      Nada, Lídia, devemos
      Ao fado, senão tê-lo.

Nem da erva humilde se o Destino esquece.
      Saiba a lei o que vive.
De sua natureza murcham rosas
      E prazeres se acabam.
Quem nos conhece, amigo, tais quais fomos?
      Nem nós os conhecemos.

Quem diz ao dia, dura! e à treva, acaba!
      E a si não diz, não digas!
Sentinelas absurdas, vigilamos,
      Ínscios dos contendentes.
Uns sob o frio, outros no ar brando, guardam
      O posto e a insciência sua.

Negue-me tudo a sorte, menos vê-la,
      Que eu, 'stóico sem dureza,
Na sentença gravada do Destino
      Quero gozar as letras.

Se recordo quem fui, outrem me vejo,
E o passado é o presente na lembrança.
      Quem fui é alguém que amo
      Porém somente em sonho.

E a saudade que me aflige a mente
Não é de mim nem do passado visto,
   Senão de quem habito
   Por trás dos olhos cegos.
Nada, senão o instante, me conhece.
Minha mesma lembrança é nada, e sinto
   Que quem sou e quem fui
   São sonhos diferentes.

Quando, Lídia, vier o nosso Outono
Com o Inverno que há nele, reservemos
Um pensamento, não para a futura
   Primavera, que é de outrem,
Nem para o Estio, de quem somos mortos,
Senão para o que fica do que passa —
O amarelo actual que as folhas vivem
   E as torna diferentes.

Ténue, como se de Éolo a esquecessem,
A brisa da manhã titila o campo,
   E há começo do sol.
Não desejemos, Lídia, nesta hora
Mais sol do que ela, nem mais alta brisa
   Que a que é pequena e existe.

No breve número de doze meses
O ano passa, e breves são os anos,
   Poucos a vida dura.
Que são doze ou sessenta na floresta
Dos números, e quanto pouco falta
   Para o fim do futuro!
Dois terços já, tão rápido, do curso
Que me é imposto correr descendo, passo.
   Apresso, e breve acabo.
Dado em declive desço, e invito apresso
   O moribundo passo.

Não sei de quem recordo meu passado
Que outrem fui quando o fui, nem me conheço
Como sentindo com minha alma aquela
Alma que a sentir lembro.
De dia a outro nos desamparamos.
Nada de verdadeiro a nós nos une —
Somos quem somos, e quem fomos foi
Coisa vista por dentro.

O que sentimos, não o que é sentido,
É o que temos. Claro, o Inverno triste
Como à sorte o acolhamos.
Haja Inverno na terra, não na mente.
E, amor a amor, ou livro a livro, amemos
    Nossa caveira breve.

Quer pouco: terás tudo.
Quer nada: serás livre.
O mesmo amor que tenham
Por nós, quer-nos, oprime-nos.

Não só quem nos odeia ou nos inveja
Nos limita e oprime; quem nos ama
    Não menos nos limita.
Que os deuses me concedam que, despido
De afectos, tenha a fria liberdade
    Dos píncaros sem nada.
Quem quer pouco, tem tudo; quem quer nada
É livre; quem não tem, e não deseja,
    Homem, é igual aos deuses.

Não quero, Cloe, teu amor, que oprime
Porque me exige o amor. Quero ser livre.

A 'sperança é um dever do sentimento.

Não sei se é amor que tens, ou amor que finges,
O que me dás. Dás-mo. Tanto me basta.
        Já que o não sou por tempo,
        Seja eu jovem por erro.
Pouco os deuses nos dão, e o pouco é falso.
Porém, se o dão, falso que seja, a dádiva
        É verdadeira. Aceito,
        Cerro olhos: é bastante.
                Que mais quero?

Nunca a alheia vontade, inda que grata,
Cumpras por própria. Manda no que fazes,
        Nem de ti mesmo servo.
Ninguém te dá quem és. Nada te mude.
Teu íntimo destino involuntário
        Cumpre alto. Sê teu filho.

No mundo, só comigo, me deixaram
        Os deuses que dispõem.
Não posso contra eles: o que deram
        Aceito sem mais nada.
Assim o trigo baixa ao vento, e, quando
        O vento cessa, ergue-se.

Os deuses e os Messias que são deuses
Passam, e os sonhos vãos que são Messias.
        A terra muda dura.
Nem deuses, nem Messias, nem ideias
Que trazem rosas. Minhas são se as tenho.
        Se as tenho, que mais quero?

Do que quero renego, se o querê-lo
Me pesa na vontade. Nada que haja
        Vale, que lhe concedamos

Uma atenção que doa.
Meu balde exponho à chuva, por ter água.
Minha vontade, assim, ao mundo exponho.
Recebo o que me é dado,
E o que falta não quero.

O que me é dado quero
Depois de dado, grato.

Nem quero mais que o dado
Ou que o tido desejo.

Sim, sei bem
Que nunca serei alguém.
Sei de sobra
Que nunca terei uma obra.
Sei, enfim,
Que nunca saberei de mim.
Sim, mas agora,
Enquanto dura esta hora,
Este luar, estes ramos,
Esta paz em que estamos,
Deixem-me me crer
O que nunca poderei ser.

Breve o dia, breve o ano, breve tudo.
Não tarda nada sermos.
Isto, pensando, me de a mente absorve
Todos mais pensamentos.
O mesmo breve ser da mágoa pesa-me,
Que, inda que mágoa, é vida.

Domina ou cala. Não te percas, dando
Aquilo que não tens.
Que vale o César que serias? Goza

Bastar-te o pouco que és.
Melhor te acolhe a vil choupana dada
Que o palácio devido.

Tudo, desde ermos astros afastados
A nós, nos dá o mundo.
E a tudo, alheios, nos acrescentamos,
Pensando e interpretando.
A próxima erva a que não chega basta,
O que há é o melhor.

Ninguém, na vasta selva virgem
Do mundo inumerável, finalmente
        Vê o Deus que conhece.
Só o que a brisa traz se ouve na brisa
O que pensamos, seja amor ou deuses,
        Passa, porque passamos.

Se a cada coisa que há um deus compete,
Porque não haverá de mim um deus?
Porque o não serei eu?
É em mim que o Deus anima
Porque eu sinto.
O mundo externo claramente vejo —
Coisas, homens, sem alma.

Quanto faças, supremamente faze.
Mais vale, se a memória é quanto temos,
Lembrar muito que pouco.
E se o muito no pouco te é possível,
Mais ampla liberdade de lembrança
Te tornará teu dono.

Rasteja mole pelos campos ermos
O vento sossegado.
Mais parece tremer de um tremor próprio,
Que do vento, o que é erva.
E se as nuvens no céu, brancas e altas,
Se movem, mais parecem
Que gira a terra rápida e elas passam,
Por muito altas, lentas.
Aqui neste sossego dilatado
Me esquecerei de tudo,
Nem hóspede será do que conheço
A vida que deslembro.
Assim meus dias seu decurso falso
Gozarão verdadeiro.

Azuis os montes que estão longe param.
De eles a mim o vário campo ao vento, à brisa,
Ou verde ou amarelo ou variegado,
Ondula incertamente.
Débil como uma haste de papoila
Me suporta o momento. Nada quero.
Que pesa o escrúpulo do pensamento
Na balança da vida?
Como os campos, e vário, e como eles,
Exterior a mim, me entrego, filho
Ignorado do Caos e da Noite
Às férias em que existo.

Lídia, ignoramos. Somos estrangeiros
Onde quer que estejamos.

Lídia, ignoramos. Somos estrangeiros
Onde quer que moremos. Tudo é alheio
Nem fala língua nossa.
Façamos de nós mesmos o retiro
Onde esconder-nos, tímidos do insulto
Do tumulto do mundo.
Que quer o amor mais que não ser dos outros?
Como um segredo dito nos mistérios,
Seja sacro por nosso.

Severo narro. Quanto sinto, penso.
Palavras são ideias.
Múrmuro, o rio passa, e o que não passa,
Que é nosso, não do rio.
Assim quisesse o verso: meu e alheio
E por mim mesmo lido.

Sereno aguarda o fim que pouco tarda.
Que é qualquer vida? Breves sóis e sono.
    Quanto pensas emprega
    Em não muito pensares.

Ao nauta o mar obscuro é a rota clara.
Tu, na confusa solidão da vida,
    A ti mesmo te elege
    (Não sabes de outro) o porto.

Ninguém a outro ama, senão que ama
O que de si há nele, ou é suposto.
Nada te pese que não te amem. Sentem-te
    Quem és, e és estrangeiro.
Cura de ser quem és, amam-te ou nunca.
Firme contigo, sofrerás avaro
    De penas.

Vive sem horas. Quanto mede pesa,
    E quanto pensas mede.
Num fluido incerto nexo, como o rio
    Cujas ondas são ele,
Assim teus dias vê, e se te vires
Passar, como a outrem, cala.

Nada fica de nada. Nada somos.
Um pouco ao sol e ao ar nos atrasamos
Da irrespirável treva que nos pese
Da humilde terra imposta,
Cadáveres adiados que procriam.

Leis feitas, estátuas vistas, odes findas —
Tudo tem cova sua. Se nós carnes
A que um íntimo sol dá sangue, temos
Poente, por que não elas?
Somos contos contando contos, nada.

Para ser grande, sê inteiro: nada
  Teu exagera ou exclui.
Sê todo em cada coisa. Põe quanto és
  No mínimo que fazes.
Assim em cada lago a lua toda
  Brilha, porque alta vive.

Quero ignorado, e calmo
Por ignorado, e próprio
Por calmo, encher meus dias
De não querer mais deles.

Aos que a riqueza toca
O ouro irrita a pele.
Aos que a fama bafeja
Embacia-se a vida.

Aos que a felicidade
É sol, virá a noite.
Mas ao que nada 'spera
Tudo que vem é grato.

Cada dia sem gozo não foi teu
(Dia em que não gozaste não foi teu):
Foi só durares nele. Quanto vivas
Sem que o gozes, não vives.

Não pesa que ames, bebas ou sorrias:
Basta o reflexo do sol ido na água
De um charco, se te é grato.

Feliz o a quem, por ter em coisas mínimas
Seu prazer posto, nenhum dia nega
A natural ventura!

Pois que nada que dure, ou que, durando,
Valha, neste confuso mundo obramos,
E o mesmo útil para nós perdemos
Connosco, cedo, cedo,

O prazer do momento anteponhamos
À absurda cura do futuro, cuja
Certeza única é o mal presente
Com que o seu bem compramos.

Amanhã não existe. Meu somente
É o momento, eu só quem existe
Neste instante, que pode o derradeiro
Ser de quem finjo ser?

Estás só. Ninguém o sabe. Cala e finge.
Mas finge sem fingimento.
Nada 'speres que em ti já não exista,
Cada um consigo é triste.
Tens sol se há sol, ramos se ramos buscas,
Sorte se a sorte é dada.

Aqui, neste misérrimo desterro
Onde nem desterrado estou, habito,
Fiel, sem que queira, àquele antigo erro
Pelo qual sou proscrito.
O erro de querer ser igual a alguém
Feliz, em suma — quanto a sorte deu
A cada coração o único bem
De ele poder ser seu.

Uns, com os olhos postos no passado,
Vêem o que não vêem; outros, fitos
Os mesmos olhos no futuro, vêem
O que não pode ver-se.

Porque tão longe ir pôr o que está perto —
A segurança nossa? Este é o dia.
Esta é a hora, este o momento, isto
É quem somos, e é tudo.

Perene flui a interminável hora
Que nos confessa nulos. No mesmo hausto
Em que vivemos, morreremos. Colhe
O dia, porque és ele.

Súbdito inútil de astros dominantes,
Passageiros como eu, vivo uma vida
Que não quero nem amo,
Minha porque sou ela,

No ergástulo de ser quem sou, contudo,
De em mim pensar me livro, olhando no alto
Os astros que dominam
Submissos de os ver brilhar.

Vastidão vã que finge de infinito
(Como se o infinito se pudesse ver!) —
Dá-me ela a liberdade?
Como, se ela a não tem?

Aguardo, equânime, o que não conheço —
Meu futuro e o de tudo.
No fim tudo será silêncio, salvo
Onde o mar banhar nada.

Vivem em nós inúmeros,
Se penso ou sinto, ignoro
Quem é que pensa ou sente.
Sou somente o lugar
Onde se sente ou pensa.

Tenho mais almas que uma.
Há mais eus do que eu mesmo.
Existo todavia
Indiferente a todos,
Faço-os calar: eu falo.

Os impulsos cruzados
Do que sinto ou não sinto
Disputam em quem sou.
Ignoro-os. Nada ditam
A quem me sei: eu 'screvo.

Ponho na altiva mente o fixo esforço
        Da altura, e à sorte deixo,
        E as suas leis, o verso;
Que, quando é alto e régio o pensamento,
        Súbdita a frase o busca
        E o 'scravo ritmo o serve.

Temo, Lídia, o destino. Nada é certo.
Em qualquer hora pode suceder-nos
        O que nos tudo mude.
Fora do conhecido é estranho o passo
Que próprio damos. Graves numes guardam
        As lindas do que é uso.
Não somos deuses; cegos, receemos,
E a parca dada vida anteponhamos
        À novidade, abismo.

Não queiras, Lídia, edificar no 'spaço
Que figuras futuro, ou prometer-te
Amanhã. Cumpre-te hoje, não 'sperando.
        Tu mesma és tua vida.
Não te destines, que não és futura.
Quem sabe se, entre a taça que esvazias,
E ela de novo enchida, não te a sorte
        Interpõe o abismo?

Saudoso já deste Verão que vejo,
Lágrimas para as flores dele emprego
    Na lembrança invertida
    De quando hei-de perdê-las.
Transpostos os portais irreparáveis
De cada ano, me antecipo a sombra
    Em que hei-de errar, sem flores,
    No abismo rumoroso.
E colho a rosa porque a sorte manda.
Marcenda, guardo-a; murche-se comigo
    Antes que com a curva
    Diurna da ampla terra.

Deixemos, Lídia, a ciência que não põe
Mais flores do que Flora pelos campos,
    Nem dá de Apolo ao carro
    Outro curso que Apolo.

Contemplação estéril e longínqua
Das coisas próximas, deixemos que ela
    Olhe até não ver nada
    Com seus cansados olhos.

Vê como Ceres é a mesma sempre
E como os louros campos entumece
    E os cala pràs avenas
    Dos agrados de Pã.

Vê como com seu jeito sempre antigo
Aprendido no orige azul dos deuses,
    As ninfas não sossegam
    Na sua dança eterna.

E como as hemadríades constantes
Murmuram pelos rumos das florestas
    E atrasam o deus Pã
    Na atenção à sua flauta.

Não de outro modo mais divino ou menos
Deve aprazer-nos conduzir a vida,
    Quer sob o ouro de Apolo
    Ou a prata de Diana.

Quer troe Júpiter nos céus toldados,
Quer apedreje com as suas ondas
       Neptuno as planas praias
       E os erguidos rochedos.

Do mesmo modo a vida é sempre a mesma.
Nós não vemos as Parcas acabarem-nos.
       Por isso as esqueçamos
       Como se não houvessem.

Colhendo flores ou ouvindo as fontes
A vida passa como se temêssemos.
       Não nos vale pensarmos
       No futuro sabido

Que aos nossos olhos tirará Apolo
E nos porá longe de Ceres e onde
       Nenhum Pã cace à flauta
       Nenhuma branca ninfa.

Só as horas serenas reservando
Por nossas, companheiros na malícia
       De ir imitando os deuses
       Até sentir-lhe a calma.

Venha depois com as suas cãs caídas
A velhice, que os deuses concederam
Que esta hora por ser sua -
Não sofra de Saturno
Mas seja o templo onde sejamos deuses
Inda que apenas, Lídia, pra nós próprios.
Nem precisam de crentes
Os que de si o foram.

É tão suave a fuga deste dia,
Lídia, que não parece que vivemos.
       Sem dúvida que os deuses
       Nos são gratos esta hora,

Em paga nobre desta fé que temos
Na exilada verdade dos seus corpos
       Nos dão o alto prémio
       De nos deixarem ser

Convivas lúcidos da sua calma,
Herdeiros um momento do seu jeito
        De viver toda a vida
        Dentro dum só momento,

Dum só momento, Lídia, em que afastados
Das terrenas angústias recebemos
        Olímpicas delícias
        Dentro das nossas almas,

E um só momento nos sentimos deuses
Imortais pela calma que vestimos
        E a altiva indiferença
        Às coisas pssageiras

Como quem guarda a c'roa da vitória
Estes fanados louros de um só dia
        Guardemos para termos,
        No futuro enrugado,

Perene à nossa vista a certa prova
De que um momento os deuses nos amaram
        E nos deram uma hora
        Não nossa, mas do Olimpo.

Para os deuses as coisas são mais coisas.
Não mais longe eles vêem, mas mais claro
Na certa Natureza
E a contornada vida...
Não no vago que mal vêem
Orla misteriosamente os seres,
Mas nos detalhes claros
Estão seus olhos.
A Natureza é só uma superfície.
Na sua superfície ela é profunda
E tudo contém muito
Se os olhos bem olharem.
Aprende, pois, tu, das cristãs angústias,
Ó traidor à multíplice presença
Dos deuses, a não teres
Véus nos olhos nem na alma.

No magno dia até os sons são claros.
Pelo repouso do amplo campo tardam.
        Múrmura, a brisa cala.
Quisera, como os sons, viver das coisas
Mas não ser delas, consequência alada
        Em que o real vai longe.

Quero dos deuses só que me não lembrem.
Serei livre — sem dita nem desdita,
Como o vento que é a vida
Do ar que não é nada.
O ódio e o amor iguais nos buscam; ambos,
Cada um com seu modo, nos oprimem.
        A quem deuses concedem
        Nada, tem liberdade.

Aos deuses peço só que me concedam
O nada lhes pedir. A dita é um jugo
        E o ser feliz oprime
Porque é um certo estado.
Não quieto nem inquieto meu ser calmo
Quero erguer alto acima de onde os homens
        Têm prazer ou dores.

Cada um cumpre o destino que lhe cumpre,
E deseja o destino que deseja;
        Nem cumpre o que deseja,
        Nem deseja o que cumpre.

Como as pedras na orla dos canteiros
O Fado nos dispõe, e ali ficamos;
        Que a Sorte nos fez postos
        Onde houvemos de sê-lo.

Não tenhamos melhor conhecimento
Do que nos coube que de que nos coube.
        Cumpramos o que somos.
        Nada mais nos é dado.

Meu gesto que destrói
A mole das formigas,
Tomá-lo-ão elas por de um ser divino;
Mas eu não sou divino para mim.

Assim talvez os deuses
Para si o não sejam,
E só de serem do que nós maiores
Tirem o serem deuses para nós.

Seja qual for o certo,
Mesmo para com esses
Que cremos serem deuses, não sejamos
Inteiros numa fé talvez sem causa.

Sob a leve tutela
De deuses descuidosos,
Quero gastar as concedidas horas
Desta fadada vida.

Nada podendo contra
O ser que me fizeram,
Desejo ao menos que me haja o Fado
Dado a paz por destino.

Da verdade não quero
Mais que a vida; que os deuses
Dão vida e não verdade, nem talvez
Saibam qual a verdade.

APÊNDICE

FERNANDO PESSOA
E OS SEUS HETERÓNIMOS

*em textos seleccionados do poeta,
incidindo em especial
sobre Ricardo Reis*

A — SOBRE A CRIAÇÃO DOS HETERÓNIMOS EM GERAL

1 — APONTAMENTOS ÍNTIMOS

Não sei quem sou, que alma tenho.

Quando falo com sinceridade não sei com que sinceridade falo. Sou variamente outro do que um eu que não sei se existe (se é esses outros).

Sinto crenças que não tenho. Enlevam-me ânsias que repudio. A minha perpétua atenção sobre mim perpetuamente me aponta traições de alma a um carácter que talvez eu não tenha, nem ela julga que eu tenho.

Sinto-me múltiplo. Sou como um quarto com inúmeros espelhos fantásticos que torcem para reflexões falsas uma única anterior realidade que não está em nenhuma e está em todas.

Como o panteísta se sente árvore e até a flor, eu sinto-me vários seres. Sinto-me viver vidas alheias, em mim, incompletamente, como se o meu ser participasse de todos os homens, incompletamente de cada, por uma suma de não-eus sintetizados num eu postiço.

*

Sê plural como o universo!

*

Sendo nós portugueses, convém saber o que é que somos.

a) adaptabilidade, que no mental dá a instabilidade, e portanto a diversificação do indivíduo dentro de si mesmo. O bom português é várias pessoas.

b) a predominância da emoção sobre a paixão. Somos ternos e pouco intensos, ao contrário dos espanhóis — nossos absolutos contrários —, que são apaixonados e frios.

Nunca me sinto tão portuguesmente eu como quando me sinto diferente de mim — Alberto Caeiro, Ricardo Reis, Álvaro de Campos, Fernando Pessoa, e quantos mais haja havidos ou por haver[1].

> *Deus não tem unidade,*
> *Como a terei eu?*[2]

2 — DUAS CARTAS AO POETA E CRÍTICO ADOLFO CASAIS MONTEIRO SOBRE A GENESE DOS HETERÓNIMOS E OUTROS TEMAS

I

Caixa Postal 147

Lisboa, 13 de Janeiro de 1935

Muito agradeço a sua carta, a que vou responder imediata e integralmente. Antes de, propriamente, começar, quero pedir-lhe desculpa de lhe escrever neste papel de cópia: Acabou-se-me o decente, é domingo, e não posso arranjar outro. Mas mais vale, creio, o mau papel que o adiamento.

Em primeiro lugar, quero dizer-lhe que nunca eu veria «outras razões» em qualquer coisa que escrevesse, discordando, a meu respeito. Sou um dos poucos poetas portugueses que não decretou a sua própria infalibilidade, nem toma qualquer crítica, que se lhe faça, como um acto de lesa-divindade. Além disso, quaisquer que sejam os meus defeitos mentais, é nula em mim a tendência para a mania da perseguição. À parte disso, conheço já suficientemente a sua independência mental, que, se me é permitido dizê-lo, muito aprovo e louvo. Nunca me propus ser Mestre ou Chefe — Mestre, porque não sei ensinar, nem sei se teria que ensinar; Chefe, porque nem sei estrelar ovos. Não se preocupe, pois, em qualquer ocasião, com o que tenha que dizer a meu respeito. Não procuro caves nos andares nobres.

---

[1] De *Páginas Íntimas de Auto-Interpretação*, ob. cit., pp. 93 e 94.
[2] V. *Fernando Pessoa. Poesia II*, Publicações Europa-América, 1986.

Concordo absolutamente consigo em que não foi feliz a estreia, que de mim mesmo fiz com um livro da natureza de *Mensagem*. Sou, de facto, um nacionalista místico, um sebastianista racional. Mas sou, à parte isso, e até em contradição com isso, muitas outras coisas. E essas coisas, pela mesma natureza do livro, a *Mensagem* não as inclui.

Comecei por esse livro as minhas publicações pela simples razão de que foi o primeiro livro que consegui, não sei porquê, ter organizado e pronto. Como estava pronto, incitaram-me a que o publicasse: acedi. Nem o fiz, devo dizer, com os olhos postos no prémio possível do Secretariado, embora nisso não houvesse pecado intelectual de maior. O meu livro estava pronto em Setembro, e eu julgava, até, que não poderia concorrer ao prémio, pois ignorava que o prazo para entrega dos livros, que primitivamente fora até fim de Julho, fora alargado até ao fim de Outubro. Como, porém, em fim de Outubro já havia exemplares prontos da *Mensagem*, fiz entrega dos que o Secretariado exigia. O livro estava exactamente nas condições (nacionalismo) de concorrer. Concorri.

Quando às vezes pensava na ordem de uma futura publicação de obras minhas, nunca um livro do género de *Mensagem* figurava em número um. Hesitava entre se deveria começar por um livro de versos grande — um livro de umas 350 páginas —, englobando as várias subpersonalidades de Fernando Pessoa ele mesmo, ou se deveria abrir com uma novela policiária, que ainda não consegui completar.

Concordo consigo, disse, em que não foi feliz a estreia, que de mim mesmo fiz, com a publicação de *Mensagem*. Mas concordo com os factos que foi a melhor estreia que eu poderia fazer. Precisamente porque essa faceta — em certo modo secundária — da minha personalidade não tinha nunca sido suficientemente manifestada nas minhas colaborações em revistas (excepto no caso do *Mar Português* parte deste mesmo livro) — precisamente por isso convinha que ela aparecesse, e que aparecesse agora. Coincidiu, sem que eu o planeasse ou o premeditasse (sou incapaz de premeditação prática), com um dos momentos críticos (no sentido original da palavra) da remodelação do subconsciente nacional. O que fiz por acaso e se completou por conversa, fora exactamente talhado, com Esquadria e Compasso, pelo Grande Arquitecto.

(Interrompo. Não estou doido nem bêbado. Estou, porém, escrevendo directamente, tão depressa quanto a máquina mo permite, e vou-me servindo das expressões que me ocorrem, sem olhar a que literatura haja nelas. Suponha — e fará bem em supor, porque é verdade — que estou simplesmente falando consigo.)

Respondo agora directamente às suas três perguntas: (1) plano futuro da publicação das minhas obras, (2) génese dos meus heterónimos, e (3) ocultismo.

Feita, nas condições que lhe indiquei, a publicação da *mensagem*, que é uma manifestação unilateral, tenciono prosseguir da seguinte maneira. Estou agora completando uma versão inteiramente remodelada do *Banqueiro Anarquista*; essa deve estar pronta ta em breve e conto, desde que esteja pronta, publicá-la imediatamente. Se assim fizer, traduzo imediatamente esse escrito para inglês, e vou ver se o posso publicar em Inglaterra. Tal qual deve ficar, tem probabilidades europeias. (Não tome esta frase no sentido de Prémio Nobel imanente.) Depois — e agora respondo propriamente à pergunta, que se reporta a poesia — tenciono, durante o Verão, reunir o tal grande volume dos poemas pequenos do Fernando Pessoa ele mesmo, e ver se o consigo publicar em fins do ano em que estamos. Será esse o volume que o Casais Monteiro espera, e é esse mesmo que eu desejo que se faça. Esse, então, será as facetas todas, excepto a nacionalista, que *Mensagem* já manifestou.

Referi-me, como viu, ao Fernando Pessoa só. Não penso nada do caeiro, do Ricardo Reis ou do Álvaro de Campos. Nada disso poderei fazer, no sentido de publicar, excepto quando (ver mais acima) me for dado o Prémio Nobel. E contudo — penso-o com tristeza — pus no Caeiro todo o meu poder de despersonalização dramática, pus em Ricardo Reis toda a minha disciplina mental, vestida da música que lhe é própria, pus em Álvaro de Campos toda a emoção que não dou nem a mim nem à vida. Pensar, meu querido Casais Monteiro, que todos estes têm que ser, na prática da publicação, preteridos pelo Fernando Pessoa, impuro e simples!

Creio que respondi à sua primeira pergunta.

Se fui omisso, diga em quê. Se puder responder, responderei. Mais planos não tenho, por enquanto. E, sabendo eu o que são e em que dão os meus planos, é caso para dizer: *Graças a Deus!*

Passo agora a responder à sua pergunta sobre a génese dos meus heterónimos. Vou ver se consigo responder-lhe completamente.

Começo pela parte psiquiátrica. A origem dos meus heterónimos é o fundo traço de histeria que existe em mim. Não sei se sou simplesmente histérico, se sou, mais propriamente, um histeroneurasténico. Tendo para esta segunda hipótese, porque há em mim fenómenos de abulia que a histeria, propriamente dita, não enquadra no registo dos seus sintomas. Seja como for, a origem mental dos meus heterónimos está na minha tendência orgânica e constante para a despersonalização e para a simulação. Estes fenómenos — felizmente para mim e para os outros — mentalizaram-se em mim; quero dizer, não se manifestam na minha vida prática, exterior e de contacto com outros; fazem explosão para dentro e vivo-os eu a sós comigo. Se eu fosse mulher — na mulher os fenómenos histéricos rompem em ataques e coisas parecidas — cada poema de Álvaro de Campos (o mais histericamente histérico de mim) seria um alarme para a vizinhança. Mas sou homem — e nos homens a histeria assume principalmente aspectos mentais; assim tudo acaba em silêncio e poesia...

Isto explica, *tant bien que mal*, a origem orgânica do meu heteronimismo. Vou agora fazer-lhe a história directa dos meus heterónimos. Começo por aqueles que morreram, e de alguns dos quais já me não lembro — os que jazem perdidos no passado remoto da minha infância quase esquecida.

Desde criança tive a tendência para criar em meu torno um mundo fictício, de me cercar de amigos e conhecidos que nunca existiram. (Não sei, bem entendido, se realmente não existiram, ou se sou eu que não existo. Nestas coisas, como em todas, não devemos ser dogmáticos.) Desde que me conheço como sendo aquilo a que chamo eu, me lembro de precisar mentalmente, em figura, movimentos, carácter e história, várias figuras irreais que eram para mim tão visíveis e minhas como as coisas daquilo a que chamamos, porventura abusivamente, a vida real. Esta tendência, que me vem desde que me lembro de ser um eu, tem-me acompanhado sempre, mudando um pouco o tipo de música com que me encanta, mas não alterando nunca a sua maneira de encantar.

Lembro, assim, o que me parece ter sido o meu primeiro heterónimo, ou, antes, o meu primeiro conhecido inexistente — um certo *Chevalier de Pas* dos meus seis anos, por quem escrevia cartas dele a mim mesmo, e cuja figura, não inteiramente vaga, ainda conquista aquela parte da minha afeição que confina com a saudade. Lembro-me, com menos nitidez, de uma outra figura, cujo nome já me não ocorre mas que o tinha estrangeiro também, que era, não sei em quê, um rival do Chevalier de Pas... Coisas que acontecem a todas as crianças? Sem dúvida — ou talvez. Mas a tal ponto as vivi que as vivo ainda, pois que as relembro de tal modo que é mister um esforço para me fazer saber que não foram realidades.

Esta tendência para criar em torno de mim um outro mundo, igual a este mas com outra gente, nunca me saiu da imaginação. Teve várias fases, entre as quais esta, sucedida já em maioridade. Ocorria-me um dito de espírito, absolutamente alheio, por um motivo ou outro, a quem eu sou, ou a quem suponho que sou. Dizia-o, imediatamente, espontaneamente, como sendo de certo amigo meu, cujo nome inventava, cuja história acrescentava, e cuja figura — cara, estatura, traje e gesto — imediatamente eu via diante de mim. E assim arranjei, e propaguei, vários amigos e conhecidos que nunca existiram, mas que ainda hoje a perto de trinta anos de distância, oiço, sinto, vejo. Repito: oiço, sinto, vejo... E tenho saudades deles.

(Em eu começando a falar — e escrever à máquina é para mim falar —, custa-me a encontrar o travão. Basta de maçada para si,

Casais Monteiro! Vou entrar na génese dos meus heterónimos literários, que é, afinal, o que V. quer saber. Em todo o caso, o que vai dito acima dá-lhe a história da mãe que os deu à luz.)

Aí por 1912, salvo erro (que nunca pode ser grande), veio-me a ideia escrever uns poemas de índole pagã. Esbocei umas coisas em verso irregular (não no estilo Álvaro de Campos, mas num estilo de meia regularidade), e abandonei o caso. Esboçara-se-me, contudo, numa penumbra mal urdida, um vago retrato da pessoa que estava a fazer aquilo. (Tinha nascido, sem que eu soubesse, o Ricardo Reis.)

Ano e meio, ou dois anos depois, lembrei-me um dia de fazer uma partida ao Sá-Carneiro — de inventar um poeta bucólico, de espécie complicada, e apresentar-lho, já me não lembro como, em qualquer espécie de realidade. Levei uns dias a elaborar o poeta mas nada consegui. Num dia em que finalmente desistira — foi em 8 de Março de 1914 — acerquei-me de uma cómoda alta, e, tomando um papel, comecei a escrever, de pé, como escrevo sempre que posso. E escrevi trinta e tantos poemas a fio, numa espécie de êxtase cuja natureza não conseguirei definir. Foi o dia triunfal da minha vida, e nunca poderei ter outro assim. Abri com um título, *O Guardador de Rebanhos*. E o que se seguiu foi o aparecimento de alguém em mim, a quem dei desde logo o nome de Alberto Caeiro. Desculpe-me o absurdo da frase: aparecera em mim o meu mestre. Foi essa a sensação imediata que tive. E tanto assim que, escritos que foram esses trinta e tantos poemas, imediatamente peguei noutro papel e escrevi, a fio, também, os seis poemas que constituem a *Chuva Oblíqua*, de Fernando Pessoa. Imediatamente e totalmente... Foi o regresso de Fernando Pessoa Alberto Caeiro a Fernando Pessoa ele só. Ou, melhor, foi a reacção de Fernando Pessoa contra a sua inexistência como Alberto Caeiro.

Aparecido Alberto Caeiro, tratei logo de lhe descobrir — instintiva e subconscientemente — uns discípulos. Arranquei do seu falso paganismo o Ricardo Reis latente, descobri-lhe o nome, e ajustei-o a si mesmo, porque nessa altura já o *via*. E, de repente, e em derivação oposta à de Ricardo Reis, surgiu-me impetuosamente um novo indivíduo. Num jacto, e à máquina de escrever, sem interrupção nem emenda, surgiu a *Ode Triunfal* de Álvaro de Campos — a Ode com esse nome e o homem com o nome que tem.

Criei, então, uma *coterie* inexistente. Fixei aquilo tudo em moldes de realidade. Graduei as influências, conheci as amizades, ouvi, dentro de mim, as discussões e as divergências de critérios, e em tudo isto me parece que fui eu, criador de tudo, o menos que ali houve. Parece que tudo se passou independentemente de mim. E parece que assim ainda se passa. Se algum dia eu puder publicar a discussão estética entre Ricardo Reis e Álvaro de Campos, verá como eles são diferentes, e como eu não sou nada na matéria.

Quando foi da publicação de *Orpheu*, foi preciso, à última hora, arranjar qualquer coisa para completar o número de páginas. Sugeri então ao Sá-Carneiro que eu fizesse um poema «antigo» do Álvaro de Campos — um poema de como o Álvaro de Campos seria antes de ter conhecido Caeiro e ter caído sob a sua influência. E assim fiz o *Opiário*, em que tentei dar todas as tendências latentes do Álvaro de Campos, conforme haviam de ser depois reveladas, mas sem haver ainda qualquer traço de contacto com o seu mestre Caeiro. Foi dos poemas que tenho escrito, o que me deu mais que fazer, pelo duplo poder de despersonalização que tive que desenvolver. Mas, enfim, creio que não saiu mau, e que dá o Álvaro em botão...

Creio que lhe expliquei a origem dos meus heterónimos. Se há porém qualquer ponto em que precisa de um esclarecimento mais lúcido — estou escrevendo depressa, e quando escrevo depressa não sou muito lúcido —, diga, que de bom grado lho darei. E, é verdade, um complemento verdadeiro e histérico: ao escrever certos passos das *Notas para recordação do meu Mestre Caeiro*, do Álvaro de Campos, tenho chorado lágrimas verdadeiras. É para que saiba com quem está lidando, meu caro Casais Monteiro!

Mais uns apontamentos nesta matéria... Eu *vejo* diante de mim, no espaço incolor mas real do sonho, as caras, os gestos de Caeiro, Ricardo Reis e Álvaro de Campos. Construí-lhes as idades e as vidas. Ricardo Reis nasceu em 1887 (não me lembro do dia e mês, mas tenho-os algures), no Porto, é médico e está presentemente no Brasil. Alberto Caeiro nasceu em 1889 e morreu em 1915; nasceu em Lisboa, mas viveu quase toda a sua vida no campo. Não teve profissão nem educação quase alguma. Álvaro de Campos nasceu em Tavira, no dia 15 de Outubro de 1890 (às 1.30 da tarde, diz-me o Ferreira Gomes; e é verdade, pois, feito o horóscopo para essa hora, está certo). Este, como sabe, é engenheiro naval (por Glasgow), mas agora está aqui em Lisboa em inactividade. Caeiro era de estatura média, e, embora realmente frágil (morreu tuberculoso), não parecia tão frágil como era. Ricardo Reis é um pouco, mas muito pouco, mais baixo, mais forte, mas seco. Álvaro de Campos é alto (1,75 m de altura, mais 2 cm do que eu), magro e um pouco tendendo a curvar-se. Cara rapada todos — o Caeiro louro sem cor, olhos azuis; Reis de um vago moreno mate; Campos entre branco e moreno, tipo vagamente de judeu português; cabelo, porém, liso e normalmente apartado ao lado, monóculo. Caeiro, como disse, não teve mais educação que quase nenhuma — só instrução primária; morreram-lhe cedo o pai e a mãe, e deixou-se ficar em casa, vivendo de uns pequenos rendimentos. Vivia com uma tia velha, tia-avó. Ricardo Reis, educado num colégio de jesuítas, é, como disse, médico; vive no Brasil desde 1919, pois se expatriou espontaneamente por ser monárquico. É um latinista por educação alheia, e um semi-helenista por educação própria. Álvaro de Campos teve uma educação vulgar de liceu; depois foi mandado para a Escócia estudar engenharia, primeiro mecânica e depois naval. Numas férias fez a viagem ao Oriente de onde resultou o *Opiário*. Ensinou-lhe latim um tio beirão que era padre.

Como escrevo em nome desses três?... Caeiro por pura e inesperada inspiração, sem saber ou sequer calcular que iria escrever. Ricardo Reis, depois de uma deliberação abstracta, que subitamente se concretiza numa ode. Campos, quando sinto um súbito impulso para escrever e não sei o quê. (O meu semi-heterónimo Bernardo Soares, que aliás em muitas coisas se parece com Álvaro de Campos, aparece sempre que estou cansado ou sonolento, de sorte que tenho um pouco suspensas as qualidades de raciocínio e de inibição; aquela prosa é um constante devaneio. É um semi-heterónimo porque, não sendo a personalidade a minha, é, não diferente da minha, mas uma simples mutilação dela. Sou eu menos o raciocínio e a afectividade. A prosa, salvo o que o raciocínio dá de *ténue* à minha, é igual a esta, e o português perfeitamente igual; ao passo que Caeiro escrevia mal o português, Campos razoavelmente mas com lapsos como dizer «eu próprio» em vez de «eu mesmo», etc., Reis melhor do que eu, mas com um purismo que considero exagerado. O difícil para mim é escrever a prosa de Reis — ainda inédita — ou de Campos. A simulação é mais fácil, até porque é mais espontânea, em verso.)

Nesta altura estará o Casais Monteiro pensando que má sorte o fez cair, por leitura, em meio de um manicómio. Em todo o caso, o pior de tudo isto é a incoerência com que o tenho escrito. Repito, porém: escrevo como se estivesse falando consigo, para que possa escrever imediatamente. Não sendo assim, passariam meses sem eu conseguir escrever[1] [...]

II

Caixa Postal 147

Lisboa, 20 de Janeiro de 1935.

Meu querido Camarada:

Muito obrigado pela sua carta. Ainda bem que consegui dizer alguma coisa que deveras interessasse. Cheguei a duvidar de que o fizesse, pela maneira precipitada e corrente como lhe escrevi, ao sabor da conversa mental que estava tendo consigo.

---

[1] Publicada pela primeira vez na revista *Presença*, n.º 49, Coimbra, Junho de 1937.

Respondo e com igual espontaneidade, portanto falta de método e de arrumação, à sua carta agora recebida. Mas, enfim, qualquer coisa respondo. Sigo ao acaso os pontos a que tenho de responder.

Quanto ao seu estudo a meu respeito, que desde já, por o que é de honroso, muito lhe agradeço: deixe-o para depois de eu publicar o livro grande em que congregue a vasta extensão autónima do Fernando Pessoa. Salvo qualquer complicação imprevista, deverei ter esse livro feito e impresso em Outubro deste ano. E então V. terá os dados suficientes: esse livro, a faceta subsidiária representada pela *Mensagem*, e o bastante, já publicado, dos heterónimos. Com isto já o Casais Monteiro poderá ter uma «impressão de conjunto», supondo que em mim haja qualquer coisa tão contornada como um conjunto.

Em tudo isto, reporto-me simplesmente a poesia, não sou porém limitado a esse sorriso das letras. Mas, quanto a prosa, já me conhece, e o que há publicado é o bastante. Até à data, que indico como provável para o aparecimento do livro maior, devem estar publicados o *Banqueiro Anarquista* (em nova forma e redacção), uma novela policiária (que estou escrevendo e não é aquela a que me referi na carta anterior) e mais um ou outro escrito que as circunstâncias possam evocar.

É extraordinariamente bem feita a sua observação sobre a ausência que há em mim do que possa legitimamente chamar-se uma evolução qualquer. Há poemas meus, escritos aos vinte anos, que são iguais em valia — tanto quanto posso apreciar — aos que escrevo hoje. Não escrevo melhor do que então, salvo quanto ao conhecimento da língua portuguesa — caso cultural e não poético. Escrevo diferentemente. Talvez a solução do caso esteja no seguinte.

O que sou essencialmente — por trás das máscaras involuntárias do poeta, do raciocinador e do que mais haja — é dramaturgo. O fenómeno da minha despersonalização instintiva a que aludi em minha carta anterior, para explicação da existência dos heterónimos, conduz naturalmente a essa definição. Sendo assim, não evoluo, VIAJO. (Por um lapso na tecla das maiúsculas saiu-me, sem que eu quisesse, essa palavra em letra grande. Está certo, e assim deixo ficar.) Vou mudando de personalidade, vou (aqui é que pode haver evolução) enriquecendo-me na capacidade de criar personalidades novas, novos tipos de fingir que compreendo o mundo, ou, antes, de fingir que se pode compreendê-lo. Por isso dei essa marcha em mim como comparável, não a uma evolução, mas a uma viagem: não subi de um andar para outro; segui, em planície, de um para outro lugar. Perdi, é certo, algumas simplezas e ingenuidades, que havia nos meus poemas de adolescência; isso, porém, não é evolução, mas envelhecimento.

Creio ter dado, nestas palavras apressadas, qualquer vislumbre de uma ideia nítida do em que concordo com, e aceito, o seu critério de que em mim não tem havido propriamente evolução.

Refiro-me, agora, ao caso da publicação de livros meus num futuro próximo. Não há razão para se preocupar com dificuldades nesse sentido. Se quiser realmente publicar o Caeiro, o Ricardo Reis e o Álvaro de Campos, posso fazê-lo imediatamente. Sucede, porém, que receio a nenhuma venda de livros desse género e tipo. A hesitação está só aí. Quanto ao livro grande de versos, esse, como qualquer outro, tem desde já a publicação garantida. Se penso mais nesse do que noutro, é que acho mais vantagem mental na publicação dele, e, apesar de tudo, menos risco de inêxito na sua edição.

Quanto à publicação do *Banqueiro Anarquista* em inglês, também aí não haverá, creio eu, mas por outras razões, dificuldade notável. Se na obra houver capacidade de interesse para o mercado inglês, o agente literário a quem eu a enviar a colocará mais tarde ou mais cedo. Não será preciso recorrer ao apoio do Richard Aldington, cuja indicação, todavia, muito lhe agradeço. Os agentes literários (respondo agora à sua pergunta sobre o que são) são indivíduos, ou firmas, que colocam os livros ou escritos dos autores junto de editores ou directores de jornais, que eles, melhor que os autores, avaliam quais devem ser, mediante uma comissão, em geral de dez por cento. Neste ponto, sei o que hei-de fazer e a quem me hei-de dirigir — coisa rara, aliás, em mim, em qualquer circunstância prática da vida.

Abraça-o o camarada amigo e admirador[1]

FERNANDO PESSOA

3 — SOBRE A CRIAÇÃO HETERONÍMICA

Umas figuras insiro em contos, ou em subtítulos de livros, e assino com o meu nome o que elas dizem; outras projecto em absoluto e não assino senão com o dizer que as fiz. Os tipos de figuras distinguem-se do seguinte modo: nas que destaco em absoluto, o mesmo estilo, me é alheio, e se a figura o pede, contrário, até, ao meu; nas figuras que subscrevo não há diferença do meu estilo próprio, senão nos pormenores inevitáveis, sem os quais elas se não distinguiriam entre si.

Compararei algumas destas figuras, para mostrar, pelo exem-

---

[1] Publicada pela primeira vez no *Diário Popular*, Lisboa, 9-9-1943.

plo, em que consistem essas diferenças. O ajudante de guarda--livros Bernardo Soares e o Barão de Teive — são ambas figuras minhamente alheias — escrevem com a mesma substância de estilo, a mesma gramática e o mesmo tipo e forma de propriedade: é que escrevem com o estilo que, bom ou mau, é o meu. Comparo as duas porque são casos de um mesmo fenómeno — a inadaptação à realidade da vida, e o que é mais, a inadaptação pelos mesmos motivos e razões. Mas, ao passo que o português é igual no Barão de Teive [e] em Bernardo Soares, o estilo difere em que o do fidalgo é intelectual, despido de imagens, um pouco, como direi?, hirto e restrito; e o do burguês é fluido, participando da música e da pintura, pouco arquitectural. O fidalgo pensa claro, escreve claro, e domina as suas emoções, se bem que não os seus sentimentos; o guarda--livros nem emoções nem sentimentos domina, e quando pensa é subsidiariamente a sentir.

Há notáveis semelhanças, por outra, entre Bernardo Soares e Álvaro de Campos. Mas, desde logo, surge em Álvaro de Campos o desleixo do português, o desatado das imagens, mais íntimo e menos propositado que o de Soares.

Há acidentes do meu distinguir uns de outros que pesam como grandes fardos no meu discernimento espiritual. Distinguir tal composição musicante de Bernardo Soares de uma composição de igual teor que é a minha.

Há momentos em que o faço repentinamente, com uma perfeição de que pasmo; e pasmo sem imodéstia, porque, não crendo em nenhum fragmento de liberdade humana, pasmo do que se passa em mim como pasmaria do que se passasse em outros — em dois estranhos.

Só uma grande intuição pode ser bússola nos descampados da alma; só com um sentido que usa da inteligência, mas se não assemelha a ela, embora nisto com ela se funda, se pode distinguir estas figuras de sonho na sua realidade de uma a outra.

*

Nestes desdobramentos de personalidade ou, antes, invenções de personalidades diferentes, há dois graus ou tipos, que estarão revelados ao leitor, se os seguiu, por características distintas. No primeiro grau, a personalidade distingue-se por ideias e sentimentos próprios, distintos dos meus, assim como, em mais baixo nível desse grau, se distingue por ideias, postas em raciocínio ou argumento, que não são minhas, ou, se o são, o não conheço. *O Banqueiro Anarquista* é um exemplo deste grau inferior; o *Livro do Desassossego*, e a personagem Bernardo Soares, são o grau superior.

Há o leitor de reparar que, embora eu publique (publicasse) o *Livro do Desassossego* como sendo de um tal Bernardo Soares, ajudante de guarda-livros na cidade de Lisboa, o não inclui todavia nestas «Ficções do Interlúdio». É que Bernardo Soares, distinguindo-se de mim por suas ideias, seus sentimentos, seus modos de ver e de compreender, não se distingue de mim pelo estilo de expor. Dou a personalidade diferente através do estilo que me é natural, não havendo mais que a distinção inevitável do tom especial que a própria especialidade das emoções necessariamente projecta.

Nos autores das «Ficções do Interlúdio» não são só as ideias e os sentimentos que se distinguem dos meus: a mesma técnica da composição, o mesmo estilo, é diferente do meu. Aí cada personagem é criada integralmente diferente, e não apenas diferentemente pensada. Por isso nas «Ficções do Interlúdio» predomina o verso. Em prosa é mais difícil de se outrar.

*

Dividiu Aristóteles a poesia em lírica, elegíaca, épica e dramática. Como todas as classificações bem pensadas, é esta útil e clara; como todas as classificações, é falsa. Os géneros não se separam com tanta facilidade íntima, e, se analisarmos bem aquilo de que se compõem, verificaremos que da poesia lírica à dramática há uma gradação contínua. Com efeito, e indo às mesmas origens da poesia dramática —Ésquilo por exemplo— será mais certo dizer que encontramos poesia lírica posta na boca de diversos personagens.

O primeiro grau da poesia lírica é aquele em que o poeta, concentrado no seu sentimento, exprime esse sentimento. Se ele, porém, for uma criatura de sentimentos variáveis e vários, exprimirá como que uma multiplicidade de personagens, unificadas somente pelo temperamento e o estilo. Um passo mais, na escala poética, e temos o poeta que é uma criatura de sentimentos vários e fictícios, mais imaginativo do que sentimental, e vivendo cada estado de alma antes pela inteligência que pela emoção. Este poeta exprimir-se-á como uma multiplicidade de personagens, unificadas, não já pelo temperamento e o estilo, pois que o temperamento está substituído pela imaginação, e o sentimento pela inteligência, mas tão-somente pelo simples estilo. Outro passo, na mesma escala de despersonalização, ou seja de imaginação, e temos o poeta que em cada um dos seus estados mentais vários se integra de tal modo nele que de todo se despersonaliza, de sorte que, vivendo analiticamente esse estado da alma, faz dele como que a expressão de um outro personagem, e, sendo assim, o mesmo estilo tende a variar. Dê-se o passo final, e teremos um poeta que seja vários poetas, um poeta dramático escrevendo em poesia lírica. Cada grupo de estados de alma mais aproximados insensivelmente se tornará uma personagem, com estilo próprio, com sentimentos porventura diferentes, até opostos, aos típicos do poeta na sua pessoa viva. E assim se terá levado a poesia lírica — ou qualquer forma literária análoga em sua substância à poesia lírica — até à poesia dramática, sem todavia se lhe dar a forma de drama, nem explícita nem implicitamente.

Suponhamos que um supremo despersonalizado, como Shakespeare, em vez de criar o personagem de Hamlet como parte de um drama, o criava como simples personagem, sem drama. Teria escrito, por assim dizer, um drama de uma só personagem, um monólogo prolongado e analítico. Não seria legítimo ir buscar a esse personagem uma definição dos sentimentos e dos pensamentos de Shakespeare, a não ser que o personagem fosse falhado, porque o mau dramaturgo é o que se revela.

Por qualquer motivo temperamental que me não proponho analisar, nem importa que analise, construí dentro de mim várias personagens distintas entre si e de mim, personagens essas a que atribuí poemas vários que não são como eu, nos meus sentimentos e ideias, os escreveria.

Assim têm estes poemas de Caeiro, os de Ricardo Reis e os de Álvaro de Campos que ser considerados. Não há que buscar em quaisquer deles ideias ou sentimentos meus, pois muitos deles exprimem ideias que não aceito, sentimentos que nunca tive. Há simplesmente que os ler como estão, que é aliás como se deve ler.

Um exemplo: escrevi com sobressalto e repugnância o poema oitavo do «Guardador de Rebanhos», com a sua blasfémia infantil e o seu antiespiritualismo absoluto. Na minha pessoa própria, e aparentemente real, com que vivo social e objectivamente, nem uso da blasfémia, nem sou antiespiritualista. Alberto Caeiro, porém, como eu o concebi, é assim: assim tem pois ele que escrever, quer eu queria, quer não, quer eu pense como ele ou não. Negar-me o direito de fazer isto seria o mesmo que negar a Shakespeare o direito de dar expressão à alma de Lady Macbeth, com o fundamento de que ele, poeta, nem era mulher, nem, que se saiba, histero-epiléptico, ou de lhe atribuir uma tendência alucinatória e uma ambição que não recua perante o crime. Se assim é das personagens fictícias de um drama, é igualmente lícito das personagens fictícias sem drama, pois que é lícito porque elas são fictícias e não porque estão num drama.

Parece escusado explicar uma coisa de si tão simples e intuitivamente compreensível. Sucede, porém, que a estupidez humana é grande, e a bondade humana não é notável[1].

---

1 Publicado pela primeira vez in *Obra Poética*, ed. José Aguilar, *ob. cit.*

A obra complexa, cujo primeiro volume é este, é de substância dramática, embora de forma vária — aqui de trechos em prosa, em outros livros de poemas ou de filosofias.

É, não sei se um privilégio se uma doença, a constituição mental que a produz. O certo, porém, é que o autor destas linhas — não sei bem se o autor destes livros — nunca teve uma só personalidade, nem pensou nunca, nem sentiu, senão dramaticamente, isto é, numa pessoa, ou personalidade, suposta, que mais propriamente do que ele próprio pudesse ter esses sentimentos.

Há autores que escrevem dramas e novelas; e nesses dramas e nessas novelas atribuem sentimentos e ideias às figuras, que as povoam, que muitas vezes se indignam que sejam tomados por sentimentos seus, ou ideias suas. Aqui a substância é a mesma, embora a forma seja diversa.

A cada personalidade mais demorada, que o autor destes livros conseguiu viver dentro de si, ele deu uma índole expressiva, e fez dessa personalidade um autor, com um livro, ou livros, com as ideias, as emoções, e a arte dos quais, ele, o autor real (ou porventura aparente, porque não sabemos o que seja a realidade), nada tem, salvo o ter sido, no escrevê-las, o «medium» de figuras que ele próprio criou.

Nem esta obra, nem as que se lhe seguirão têm nada que ver com quem as escreve. Ele nem concorda com o que nelas vai escrito, nem discorda. Como se lhe fosse ditado, escreve; e, como se lhe fosse ditado por quem fosse amigo, e portanto com razão lhe pedisse para que escrevesse o que ditava, acha interessante — porventura só por amizade — o que, ditado, vai escrevendo.

O autor humano destes livros não conhece em si próprio personalidade nenhuma. Quando acaso sente uma personalidade emergir dentro de si, cedo vê que é um ente diferente do que ele é, embora parecido; filho mental, talvez, e com qualidades herdadas, mas as diferenças de ser outrem.

Que esta qualidade no escritor seja uma forma da histeria, ou da chamada dissociação da personalidade, o autor destes livros nem o contesta, nem o apoia. De nada lhe serviam, escravo como é da multiplicidade de si próprio, que concordasse com esta, ou com aquela, teoria, sobre os resultados escritos dessa multiplicidade.

Que este processo de fazer arte cause estranheza, não admira; o que admira é que haja cousa alguma que não cause estranheza.

Algumas teorias, que o autor presentemente tem, foram-lhe inspiradas por uma ou outra destas personalidades que, um momento, uma hora, uns tempos, passaram consubstancialmente pela sua própria personalidade, se é que esta existe.

Afirmar que estes homens todos diferentes, todos bem definidos, que lhe passaram pela alma incorporadamente, não existem — não pode fazê-lo o autor destes livros; porque não sabe o que é existir, nem qual, Hamlet ou Shakespeare, é que é mais real, ou real na verdade.

[...]

É possível que, mais tarde, outros indivíduos, deste mesmo género de verdadeira realidade, apareçam. Não sei; mas serão sempre bem-vindos à minha vida interior, onde convivem melhor comigo do que eu consigo viver com a realidade externa. Escuso de dizer que com parte das teorias deles concordo, e que não concordo com outras partes. Estas cousas são perfeitamente indiferentes. Se eles escrevem cousas belas, essas cousas são belas, independentemente de quaisquer considerações metafísicas sobre os autores «reais» delas. Se, nas suas filosofias, dizem quaisquer verdades — se verdades há num mundo que é o não haver nada — essas cousas são verdadeiras independentemente da intenção ou da «realidade» de quem as disse.

Tornando-me assim, pelo menos um louco que sonha alto, pelo mais, não um só escritor, mas toda uma literatura, quando não contribuísse para me divertir, o que para mim já era bastante, contribuo talvez para engrandecer o universo, porque quem, morrendo, deixa escrito um verso belo deixou mais ricos os céus e a terra e mais emotivamente misteriosa a razão de haver estrelas e gente.

Com uma tal falta de literatura, como há hoje, que pode um homem de génio fazer senão converter-se, ele só, em uma literatura? Com uma tal falta de gente coexistível, como há hoje, que pode um homem de sensibilidade fazer senão inventar os seus amigos, ou, quando menos, os seus companheiros de espírito?

Pensei, primeiro, em publicar anonimamente, em relação a mim, estas obras, e, por exemplo, estabelecer um neopaganismo português, com vários autores, todos diferentes, a colaborar nele e a dilatá-lo. Mas, sobre ser pequeno demais o meio intelectual português, para que (mesmo sem inconfidências) a máscara se pudesse manter, era inútil o esforço mental preciso para mantê-la.

Tenho, na minha visão a que chamo interior apenas porque chamo exterior a determinado «mundo», plenamente fixas, nítidas, conhecidas e distintas, as linhas fisionómicas, os traços de carácter, a vida, a ascendência, nalguns casos a morte, destas personagens. Alguns conheceram-se uns aos outros; outros não. A mim, pessoalmente, nenhum me conheceu, excepto Álvaro de Campos. Mas, se amanhã eu, viajando na América, encontrasse subitamente a pessoa física de Ricardo Reis, que, a meu ver, lá vive, nenhum gesto de pasmo me sairia da alma para o corpo; estava certo tudo, mas, antes disso, já estava certo. O que é a vida? [1]

---

[1] *De Páginas Íntimas..., ob. cit.*, pp. 95 a 99.

B — SOBRE RICARDO REIS

1 — BIOGRAFIA

O Dr. Ricardo Reis nasceu dentro da minha alma no dia 20 de Janeiro de 1914, pelas 11 horas da noite. Eu estivera ouvindo no dia anterior uma discussão extensa sobre os excessos, especialmente de realização, da arte moderna. Segundo o meu processo de sentir as cousas sem as sentir, fui-me deixando ir na onda dessa reacção momentânea. Quando reparei em que estava pensando, vi que tinha erguido uma teoria neoclássica, e que a ia desenvolvendo. Achei-a bela e calculei interessante se a desenvolvesse segundo princípios que não adopto nem aceito. Ocorreu-me a ideia de a tornar um neoclassicismo «científico» [...] reagir contra duas correntes tanto contra o romantismo moderno, como contra o neoclassicismo à Maurras [...][1].

2 — PERSONALIDADE E OBRA

Resume-se num epicurismo triste toda a filosofia da obra de Ricardo Reis. Tentaremos sintetizá-la.

Cada qual de nós — opina o Poeta — deve viver a sua própria vida, isolando-se dos outros e procurando apenas, dentro de uma sobriedade individualista, o que lhe agrada e lhe apraz. Não deve procurar os prazeres violentos, e não deve fugir às sensações dolorosas que não sejam extremas.

Buscando o mínimo de dor ou [...], o homem deve procurar sobretudo a calma, a tranquilidade, abstendo-se do esforço e da actividade útil.

---

[1] *Páginas Íntimas e de Auto-Interpretação, ob. cit.*, pp. 385 e 386. Texto assinado por Fernando Pessoa.

Esta doutrina, dá-a o poeta por temporária. É enquanto os bárbaros (os cristãos) dominam que a atitude dos pagãos deve ser esta. Uma vez desaparecido (se desaparecer) o império dos bárbaros, a atitude pode então ser outra. Por ora não pode ser senão esta.

Devemos buscar dar-nos a ilusão da calma, da liberdade e da felicidade, cousas inatingíveis porque, quanto à liberdade, os próprios deuses — sobre que pesa o Fado — a não têm; quanto à felicidade, não a pode ter quem está exilado da sua fé e do meio onde a sua alma devia viver; e quanto à calma, quem vive na angústia complexa de hoje, quem vive sempre à espera da morte, dificilmente pode fingir-se calmo. A obra de Ricardo Reis, profundamente triste, é um esforço lúcido e disciplinado para obter uma calma qualquer.

Tudo isto se apoia num fenómeno psicológico interessante: numa crença real [?] e verdadeira nos deuses da Grécia antiga, admitindo Cristo [...] como um deus a mais, mas mais nada — ideia esta de acordo com o paganismo e talvez em parte inspirada pela ideia (puramente pagã) de Alberto Caeiro de que o Menino Jesus era «o deus que faltava»[2].

3 — ARTE POÉTICA

O nosso Ricardo Reis teve uma inspiração feliz se é que ele usa inspiração, pelo menos por fora das explicações, quando reduziu a seis linhas a sua arte poética:

Não a arte poética, mas a *sua*. Que ele ponha na mente activa o esforço só da «altura» (seja isso o que for), concedo, se bem que me pareça estreita uma poesia limitada ao pouco espaço que é próprio dos píncaros. Mas a relação entre a altura e os versos de um certo número de sílabas é-me mais velada. E, é curioso, o poema, salvo a história da altura, que é pessoal, e por isso fica com o Reis, que aliás a guarda para si, é cheio de verdade:

Que quando é alto e régio o pensamento,

> *Súbdita a frase o busca*
> *E o escravo ritmo o serve.*

---

[1] *Ibid.*, pp. 386 e 387. Texto assinado pelo semi-heterónimo Frederico Reis.

Ressalvando que pensamento deve ser emoção, e, outra vez, a tal altura, é certo que, *concebida* fortemente a emoção, a frase que a define espontaneíza-se, e o ritmo que a traduz surge pela frase fora. Não concebo, porém, que as emoções, nem mesmo as do Reis, sejam universalemnte obrigadas a odes sáficas ou alcaicas, e que o Reis, quer diga a um rapaz que lhe não fuja, quer diga que tem pena de ter que morrer, o tenha forçosamente que fazer em frases súbditas que por duas vezes são mais compridas e por duas vezes mais curtas, e em ritmos escravos que não podem acompanhar as frases súbditas senão em dez sílabas para as duas primeiras, e em seis sílabas as duas segundas, num graduar de passo desconcertante para a emoção.

Não censuro o Reis mais que a outro qualquer poeta. Aprecio-o, realmente, e para falar verdade, acima de muitos, de muitíssimos. A sua inspiração é estreita e densa, o seu pensamento compactamente sóbrio, a sua emoção real se bem que demasiadamente virada para o ponto cardeal chamado Ricardo Reis. Mas é um grande poeta — aqui o admito —, se é que há grandes poetas neste mundo fora do silêncio de seus próprios corações[1].

---

[1] De *Obra Poética*, ed. João Aguilar, *ob. cit.* Texto não assinado; talvez de Álvaros de Campos, como aventa Maria Aliette Galhoz.

BIOBIBLIOGRAFIA

I

NOTA BIOGRÁFICA ESCRITA PELO PRÓPRIO FERNANDO PESSOA (30-3-1935)

Nome completo: Fernando António Nogueira Pessoa.

Idade e naturalidade: Nasceu em Lisboa, freguesia dos Mártires, no prédio n.º 4 do Largo de S. Carlos (hoje do Directório), em 13 de Junho de 1888.

Filiação: Filho legítimo de Joaquim de Seabra Pessoa e de D. Maria Madalena Pinheiro Nogueira. Neto paterno do general Joaquim António de Araújo Pessoa, combatente das campanhas liberais, e de D. Dionísia Seabra; neto materno do conselheiro Luís António Nogueira, jurisconsulto, e que foi director-geral do Ministério do Reino, e de D. Madalena Xavier Pinheiro. Ascendência geral — misto de fidalgos e judeus.

Profissão: A designação mais própria será «tradutor», a mais exacta de «correspondente estrangeiro em casas comerciais». O ser poeta e escritor não constitui profissão, mas vocação.

Funções sociais que tem desempenhado: Se por isso se entende cargos públicos, ou funções de destaque, nenhumas.

Obras que tem publicado: A obra está essencialmente dispersa, por enquanto, por várias revistas e publicações. O que, de livros ou folhetos, considera como válido, é o seguinte: *35 Sonnets* (em inglês), 1918; *English Poems I-II* e *English Poems III* (em inglês também), 1922, e o livro *Mensagem,* 1934, premiado pelo Secretariado de Propaganda Nacional, na categoria «Poemas».

Educação: Em virtude de, falecido seu pai em 1893, sua mãe ter casado, em 1895, em segundas núpcias, com o comandante João Miguel Rosa, cônsul de Portugal em Durban, Natal, foi ali educado. Ganhou o Prémio Rainha Vitória de estilo inglês na Universidade do Cabo da Boa Esperança em 1903, no exame de admissão, aos 15 anos.

Ideologia política: Considera que o sistema monárquico seria o mais próprio para uma nação organicamente imperial como é Portugal. Considera, ao mesmo tempo, a Monarquia completamente inviável em Portugal. Por isso, a haver um plebiscito entre regimes votaria, embora com pena, pela República. Conservador de estilo inglês, isto é, liberal dentro do conservantismo, e absolutamente anti-reaccionário.

Posição religiosa: Cristão gnóstico, e portanto inteiramente oposto a todas as Igrejas organizadas, e sobretudo à Igreja de Roma. Fiel, por motivos que mais adiante estão implícitos, à Tradição Secreta do Cristianismo, que tem íntimas relações com a Tradição Secreta em Israel (a Santa Kabbalah) e com a essência oculta da Maçonaria.

Posição iniciática: ....
....

Posição patriótica: Partidário de um nacionalismo místico, de onde seja abolida toda infiltração católica-romana, criando-se, se possível for, um sebastianismo novo, que a substitua espiritualmente, se é que no catolicismo português houve alguma vez espiritualidade. Nacionalista que se guia por este lema: «Tudo pela Humanidade; nada contra a Nação.»

Posição social: Anticomunista e anti-socialista. O mais deduz-se do que vai dito acima.

Resumo destas últimas considerações: Ter sempre na memória o mártir Jacques de Molay, grão-mestre dos Templários, e combater, sempre e em toda a parte, os seus três assassinos — a Ignorância, o Fanatismo e a Tirania[1].

Lisboa, 30 de Março de 1935.

II

ANÁLISE GRAFOLÓGICA

Uma especialista de grafologia, Mme Simone Evin, analisou, a pedido de Armand Guibert, um dos primeiros pessoanos franceses, a escrita de Fernando Pessoa. Por não ter dele o mínimo conhecimento, mesmo como escritor, esta análise, que com a devida vénia reproduzimos em tradução nossa, reveste-se pois de muito interesse:

---

[1] *Vida e Obra de Fernando Pessoa*, de João Gaspar Simões, *ob. cit.*, pp. 673 e 674. O texto já tinha sido reproduzido em parte na edição do poema *Quinto Império*, de Augusto Ferreira Gomes, *ob. cit.*, 1940.

Um sentido do épico talvez inigualado no sentido

1) do segredo
2) do mistério
3) do oculto
4) da mistifica-
ção
5) do teatro e
do actor

desagregação e *estilhaçamento* da personalidade, que se traduziu em muitas ocasiões pelo vento da loucura.

O poeta ri à socapa dos seus contemporâneos mas duma maneira perigosa, a mais de um título, para ele. Há cinismo, corrigido felizmente por uma grande bondade, nobreza, sentimento de fraternidade universal, qualidades que permitiram ao poeta escapar finalmente a um destino trágico (suicídio ou loucura).

Quem sou?[1]

III

QUATRO TESTEMUNHOS PESSOAIS DE CONTEMPORÂNEOS E AMIGOS

1 — *DE MÁRIO SAA*

Poeta, pensador e investigador, muito ligado ao grupo do «Orpheu»

[...] É especialmente um poeta, sendo outrossim um prosador. Como espírito altamente adaptativo, espírito dramático (qualidade de raça), tem ele bebido influências nas várias culturas, principalmente na cultura inglesa, em cuja linguagem se tem especializado desde criança. Daí o aspecto novo que aparenta perante a moderna geração de literatos toda oxidada de literatura francesa. Sua raça social é, pois, judaico-luso-britânica; e ora, portanto, aquela sua

---

[1] In *Fernando Pessoa*, de Armand Guibert, com uma antologia de poesias traduzidas em francês, colecção «Poètes d'Aujourd'hui», Pierre Seghers Éditeur, Paris, 1960.

característica principal outra coisa não é que uma adaptabilidade característica! Característica como um espelho que, quanto mais perfeito... menos característico!

Fernando Pessoa pertence a uma família do Fundão, por seu quinto avô Sancho Pessoa, o qual fora astrólogo e salmista.

Sancho Pessoa, natural de Montemor-o-Velho, esteve preso na Inquisição de Coimbra, sendo condenado a confisco por judeu militante, em 1706 (processo na Torre do Tombo, n.º 9478); deslocara-se, após, para o Fundão, onde casou pela 3.ª vez, dando origem aos Pessoa de Amorim, à família do jornalista Alfredo da Cunha, e mais directamente a Fernando Pessoa, que dele é descendente em varonia. Fernando Pessoa, nós o vemos em recorte feminino e trémulo, aconchegando a luneta, meditando e actuando. Nós o vemos fisionomicamente hebreu, com tendência astrológicas e ocultistas, um verdadeiro sacerdote do Talmude, prudente, cauteloso, tímido, dissimulado em intenções, não desmentindo a agitação temerosa que deveria ter presidido àqueles seus antepassados de gueto! Dir-se-ia que em seus ombros pesam todas as prevenções de Israel, os angustiosos receios da multidão encurralada no gueto. Deste mesmo pavor se ressente todo o seu pensar e literatura. Ele é cheio de pequenos receios, e ora, pois, de pequeninas ousadias, é tímido, e daí os arrojos naturais dos tímidos. Lança-se e oculta-se, esconde-se e prepara novos lances; é um verdadeiro furta-fogo! Tudo isto se revela pelos seus numerosos pseudónimos — pelos que tem e pelos que há-de vir a ter, e... pelos que não se sabe que tem!...

Além do seu verdadeiro nome, Fernando Pessoa, ele é Álvaro de Campos (autor dum Ultimatum que começa assim: «Mandado de despejo aos mandarins da Europa! Fora!...»), Alberto Caeiro, Ricardo Reis, etc. Isto só verdadeiramente podia lembrar a um indivíduo duma raça oculta, tal a judaica ou a chinesa, que são as que mais contribuem para as associações secretas, para a franco-maçonaria, por exemplo; são chamadas as raças femininas, por excelência.

[...]

Fernando Pessoa pensa realmente, mas não é um lógico. Ele poderá confundir lógica com análise, mas é preciso destrinçar. Ele é analítico, profundamente analítico, mas de lógico não tem absolutamente nada. Toda a sua diligência filosófica se reduz a desdobrar (e, quando muito, a imaginar novas desdobrações e recomposições); se reduz a separar os elementos principalmente a duo; é uma filosofia de chuvetas. [...] os judeus podem ser analíticos ou sintéticos, e cada um poderá ser qualquer destas coisas, ou mesmo as duas, mas lógicos... sê-lo-ão jamais!

Não conheço um só exemplo! Não os há mesmo, pois que a lógica é o princípio da Descoberta, e o judeu é, por excelência, a negação da Descoberta por ser a afirmação da Invenção, isto é, da Imaginação (seja ela analítica ou sintética). Fernando Pessoa, um dos maiores poetas da sua raça, é um inventivo e um expressionista analítico. Dirige ultimamente uma revista literária, que denominou *Athena*, a qual pretende ser um órgão de literatura clássica! Os factos porém, parecem desmentir as intenções. Não nos esqueçamos que na antiguidade os hebreus de Alexandria aí criaram uma escola literária judaico-helénica que pretendia lançar-se em ritmos gregos. Filo, judeu, era o seu mais alto representante. E talvez que hoje mesmo, Fernando Pessoa represente na Terra o judeu Filo! [1]

2 — DE ANTÓNIO COBEIRA

Amigo da juventude

Com Fernando Pessoa, a minha convivência foi maior — mais íntima e mais certa. Mário de Sá-Carneiro aparecia e desaparecia como um aerólito, irradiante de surpresa. A aparição de Fernando Pessoa era regrada, quase pontual, metódica, nos lugares do costume. As suas passadas regulavam-se rigorosamente pelo giro habitual — do lôbrego escritório onde tressuava em trabalhos forçados sobre correspondências comerciais para o café onde se espreguiçava em silêncios de observação e arremetidas ágeis de ironia, e de ali para casa, esgueirando-se, melancolicamente, a tropos galhopos de sombras.

Ao invés da pretensão estulta de Wilde, Fernando Pessoa não pôs génio na sua vida — nem sequer mau génio. A sua vida derivou mansa, cauta, dissimulada — como água que parece estagnada e cava fundo.

Nem um tumulto que não fosse remotamente imaginário, nem uma aventura a não ser em sonho, nem um amor a não ser em hipótese.

Fernando Pessoa era uma criatura afável, irrepreensível no trato, de primorosa educação, incapaz duma deslealdade, imaculadamente honesto, delicadíssimo, triste e tímido.

Avesso a toda a aparência, todos os seus sentidos estavam virados para o mundo interior. O natural só existia em função do sobrenatural e a este estava indissoluvelmente ligado por uma cadeia interminável de raciocínios. Fernando Pessoa era, não tanto um filósofo, mas um subtil descriminador de pormenores, um vedor de lineamentos recônditos, um pioneiro de caminhos em altura — astrólogo ou alquimista, bruxo ou adivinho, perdido à luz meridiana do

---

[1] Do livro *A Invasão dos Judeus*, Lisboa, 1924.

século. No plano social, à superfície — ele falhava onde os outros triunfaram ou iam triunfar clamorosamente.

O condicionalismo precário da sua vida de relação, a particularidade do seu temperamento, a aberração dos seus nervos, a qualidade rara da sua inteligência, a enormidade e variedade heterodoxa das suas leituras, a penetração e precisão extraordinárias do seu espírito, a profundidade das suas meditações, a sua ensimesmação obsessiva — tudo isto lhe conferia uma posição diferente, de inadaptado à existência, de inconforme com o actual, de incompatível com o vulgar, de rebelado contra o estatuído e assente.

Não era um animal político, nem social, nem meramente gregário. Era um isolado — por fatalidade. Era um puro sensível — por destino.

Caíra no centro nevrálgico do universo como num poço sem fundo — e só tinha olhos para as estrelas. O imediatamente tangível só lhe arrancava reacções de ironia e sofrimento. Somente audacioso adentro de si-mesmo — era por fora um tímido sem remédio, um inibido sem cura, um impotente na vida real — assexuado como um anjo desgarrado no seu voo de infinito.

Entanto, esta complicada contextura espiritual combinada com a afabilidade dulcíssima do seu trato dava à sua ambiência um ar estranho de encantamento...

A fama aproximou-se dele, pouco a pouco, por um movimento morno de curiosidade, surpresa e espanto. Uma legião heterogénea ergueu-o nos escudos, ao alto, com brados de aclamação.

Mas a obra literária de Fernando Pessoa não pode ser compreendida senão à luz velada da sua intimidade — e esta não foi transposta senão pelos raros peregrinos da sua eleição. Ninguém pode compreender Fernando Pessoa onde ele quis ser premeditadamente incompreensível, oculto, hermético, esotérico. O resto é extravagância, snobismo e estupidez — e à tona de tudo, ainda, a ironia imanente de Fernando Pessoa.

Certa ocasião, não sei onde, não sei quando, encontrámo-nos, trocámos algumas palavras — e ficámos longamente a conversar. Juntou-se-nos Mário de Sá-Carneiro — e tudo em volta de nós perdeu interesse. Percorremos caminhos desvairados e esse que vai da Brasileira do Chiado até ao Café de la Paix e depois duma digressão pela Via Láctea caímos na água-furtada de Mário de Sá-Carneiro, a ler as últimas páginas do *Princípio* em preparos editoriais.

Assim se realizou a minha iniciação nos mistérios da intimidade dos meus dois Grandes Companheiros[1].

---

[1] António Cobeira, «Fernando Pessoa, vulgo o 'Pessoa' e a sua ironia transcendente», in *Comércio do Porto*, de 11-8-1953, incluído no volume *Estrada Larga*, Porto Editora, Porto, sem data.

Poeta, amigo mais novo e sobrinho de Ofélia Queirós
(Excerto de uma *Carta à memória de Fernando Pessoa*)

Meu querido Fernando: Imagina você a falta que nos faz? Ainda há poucos dias, numa rua onde parámos a falar de si, o Almada me disse: O Fernando faz muita, muita falta! Na mágoa deste desabafo, pareceu-me reconhecer a mesma inconfessada sensação que a sua ausência, algumas vezes, me dá: a de ter feito uma *partida* que os seus amigos não mereciam... Quase apetece acusá-lo, gritar à sua memória: Você não tinha o direito de nos deixar tão cedo!

Mas o seu *mestre* Caeiro é quem tinha razão:

Passa a árvore e fica dispersa pela Natureza.
Murcha a flor e o seu pó dura sempre.
Corre o rio e entra no mar e a sua água é sempre a que foi sua.
Passo e fico, como o Universo.

Na verdade, a fixação da nossa presença física, seja em que forma for, é o que tem menos importância; e vem daí, por certo, o enorme esforço que tenho de fazer para recordar a sua. Não sei que névoa me afasta da próxima realidade dela. É uma imagem embaciada, talvez pela comovida lembrança da sua delicadíssima discrição. O Fernando passou *por aqui* em bicos de pés, coerente com o conselho dado às companheiras por uma das veladoras do seu «Marinheiro»: «Não rocemos pela vida nem a orla das nossas vestes.»

Em nada do que você usava se reflectia a fútil premeditação de exibicionismo. No entanto, toda a sua vulgaríssima indumentária, desde o chapéu aos sapatos, era, não sei porquê, espantosamente diversa da de toda a gente. Sei lá que tinha? Uma expressão inconfundível, um jeito especialíssimo, dado por si, sem querer.

Os seus gestos nervosos, mas plásticos e cheios de correcção, acompanhavam sempre o ritmo do monólogo, como a quererem rimar com todas as palavras. De quando em quando, pequenos risos (*risinhos*, é que diz bem), de criança triste a quem fazem cócegas, vinham festejar, alegremente, as descobertas do espírito — suas ou alheias, porque o Fernando não sabia reprimir o prazer que lhe causava a graça ou a simples alegria dos seus amigos[1].

---

[1] Fernando Pessoa adorava as crianças. Ele próprio o confessava. Com os sobrinhos, ainda pequenos, era frequente os seus familiares verem-no brincar, como se tivessem a mesma idade. Para os divertir, costumava improvisar poesias e historietas de ambiente fantástico e burlesco... [Nota de Carlos Queirós, que dava ainda como exemplo os versos publicados em *Poesia III*, Publicações Europa-América, Lisboa, 1986, que principiam *Pia, Pia, Pia, / Um mocho...*]

A sua ironia, também de qualidade *sui-generis*, era aguda, intencional, oportuna, mas sempre delicada e transparente, sem crueldades felinas. Nunca ouvi ninguém queixar-se de ter sido atingido por ela, nem assisti a que fizesse, na susceptibilidade de quem quer que fosse, a mais leve arranhadura. Era como aqueles gatos de boa raça que metem as unhas para dentro, quando brincam...

No acaso dos diálogos — aos quais nunca impunha, ditatorialmente, a direcção do seu espírito —, esperava que coubesse aos outros a sua vez de falarem, para os escutar com atenção. Porém, no seu olhar, lia-se qualquer coisa parecida com o receio de que o supusessem perscrutador.

O seu discreto temperamento ajudava-nos pouco o desejo de lhe fazermos qualquer pergunta mais familiar, mais íntima. Como inquirir-lhe da saúde, sem ter medo de magoá-lo em qualquer parte da alma? Era difícil, sabe? Quanto mais perguntar-lhe: Que faz esta noite? Aparece amanhã? Chegava a ter a impressão de devassar-lhe a intimidade, quando o encontrava, às vezes, na rua...

Quando ia só, ou como se o fosse, apesar de não ser o que se chama, em linguagem doméstica, um abstracto ou distraído (pois a sua atenção, por mais repartida que estivesse, era sempre suficiente para apreender o que se passava à sua volta), costumava aflorar aos seus lábios estreitos o sorriso de quem lê uma carta confidencial, amiga e interessante.

Nada em si afastava quem o procurasse; antes pelo contrário — a não ser, a alguns dos mais orgulhosos ou tímidos dos seus amigos, a certeza de que você era incapaz, sem fortes razões justificadas, de procurar fosse quem fosse.

O seu sentimento de *intimidade* não era fruto de egoísmo nem de vulgar misantropia: era-o, sim, do profundo respeito que o Fernando tinha por si próprio e pelo que nos outros estimava que também fosse respeitável. Daí, a impossibilidade de abrir à curiosidade dos seus mais assíduos companheiros uma fresta por onde pudessem espreitar a sua vida sentimental:

«*Não há quem saiba se eu gosto de ti ou não*, porque eu não fiz de ninguém confidente sobre o assunto.» Esta frase, cujas palavras sublinhadas o foram por si, é de uma das primeiras cartas que o Fernando dirigiu àquela a quem escreveu, nove anos mais tarde: «...Se casar, não casarei senão consigo. Resta saber se o casamento, o lar (ou o que quer que lhe queiram chamar) são coisas que se coadunem com a minha vida de pensamento.»

As suas cartas de amor! Porque você amou, Fernando, deixe-me dizê-lo a toda a gente. Amou e — o que é extraordinário — como se não fosse poeta. Na evidente espontaneidade dessas cartas, que o Destino quis pôr nas minhas mãos, não se encontra um vestígio de premeditação formal, de voluntária intelectualidade. Que admirável exemplo de humana integração no organismo da

Vida! Lê-se qualquer delas — escolhida, ao acaso, entre as dezenas que a totalidade constitui — e logo nos ocorre esta pergunta, forrada de espanto: Como teria sido possível ao mais poeta dos homens e ao mais intelectual dos poetas portugueses (e, aqui, a palavra *portugueses* tem uma importância muito especial) libertar a tal ponto o coração da *literatura?!*[1]

4 — DE OFÉLIA QUEIRÓS

A namorada

O Fernando, em geral, era muito alegre. Ria como uma criança, e achava muita graça às coisas. Dizia, por exemplo, «ouvistaste?» em vez de «ouviste». Quando saía para ir engraxar os sapatos, dizia-me: «— Eu já venho, vou lavar os pés por fora.» Um dia mandou-me um bilhetinho assim: «O meu amor é pequenino, tem calcinhas cor-de-rosa.» Eu li aquilo, e fiquei indignada. Quando saímos, disse-lhe zangada: «Ó Fernando, como é que você sabe que eu tenho calcinhas cor-de-rosa ou não, você nunca viu...» (tanto nos tratávamos por tu, como por você). E ele respondeu-me a rir: «Não te zangues, Bebé, é que todas as Bebés pequeninas têm calcinhas cor-de-rosa...»

[...]

Vivia muito isolado, como se sabe. Muitas vezes não tinha quem o tratasse, e queixava-se-me. Estava realmente muito apaixonado por mim, posso dizê-lo, e tinha uma necessidade enorme da minha companhia, da minha presença. Dizia-me numa carta: «...Não imaginas as saudades que de ti sinto nestas ocasiões de doença, de abatimento e de tristeza...» E mostra-o bem, nesta quadra que me fez:

> Quando passo um dia inteiro
> Sem ver o meu amorzinho
> Cobre-me um frio de Janeiro
> No Junho do meu carinho

Em Maio de 1920, a Carris entrou em greve por uns dias, e passámos a fazer o percurso de comboio.

Para que o meu pai não soubesse que eu saía com o Fernando, ele apanhava o comboio no Cais do Sodré e eu em Santos. Assim conversávamos até Belém. Não digo ««namorávamos», porque o Fernando não gostava, conforme já contei.

---

[1] Carlos Queirós, *Homenagem a Fernando Pessoa*, Ed. Presença, 1936.

Quando acabou a greve, ia buscar-me, à tarde, como de costume e vínhamos de eléctrico para casa, mas, como ele achava que o trajecto não era suficientemente longo, dizia a brincar: «E se fingíssemos que nos enganávamos e nos metêssemos num carro para o Poço do Bispo?»

[...]

O Fernando era uma pessoa muito especial. Toda a sua maneira de ser, de sentir, de se vestir até, era especial. Mas eu talvez não desse por isso, nessa altura, talvez porque estava apaixonada. A sua sensibilidade, a sua ternura, a sua timidez, as suas excentricidades, no fundo, encantavam-me.

Por exemplo, o Fernando era um pouco confuso, principalmente quando se apresentava como Álvaro de Campos. Dizia-me então: «Hoje não fui eu que vim, foi o meu amigo Álvaro de Campos»... Portava-se, nestas alturas, de uma maneira totalmente diferente. Destrambelhado, dizendo coisas sem nexo. Um dia, quando chegou ao pé de mim, disse-me: «Trago uma incumbência, minha Senhora, é a de deitar a fisionomia abjecta desse Fernando Pessoa, de cabeça para baixo, num balde cheio de água.» E eu respondia-lhe: «Detesto esse Álvaro de Campos. Só gosto de Fernando Pessoa.» «Não sei porquê», respondeu-me, «olha que ele gosta muito de ti.»

Raramente falava no Caeiro, no Reis ou no Soares.

O Fernando, principalmente quando se encontrava abatido, não acreditava que eu pudesse gostar dele. Dizia-me numa carta: «Se não podes gostar de mim a valer, finge, mas finge tão bem que eu não perceba.» Ou, então, como nesta quadra:

> O meu amor já me não quer
> Já me esquece e me desama
> Tão pouco tempo a mulher
> Leva a prova que não ama

Um dia, ao passarmos na Calçada da Estrela, disse-me: «O teu amor por mim é tão grande, como aquela árvore.» Eu fingi que não percebi. «Mas não está ali árvore nenhuma...» «Por isso mesmo», respondeu-me ele. Outra vez, disse-me: «Chega á ser uma caridade cristã tu gostares de mim. És tão nova e engraçadinha, e eu tão velho e tão feio.»

[...]

O Fernando era extremamente reservado. Falava muito pouco da sua vida íntima; não tinha sequer o que se chama um amigo íntimo (nesta altura já tinha morrido o Sá-Carneiro), e há até uma carta em que me diz: «Não há quem saiba se eu gosto de ti ou não, porque eu não fiz de ninguém confidente sobre o assunto.»

Com quem ele se dava muito na altura, e a casa de quem ia até jantar uma vez por semana, era o Lobo d'Ávila, que vivia na Praça do Rio de Janeiro, hoje Príncipe Real. De resto, eram só os amigos do café.

Há uma frase de Fernando, há várias até, que mostram bem como ele era reservado. «Sinto preciso ocultar o meu íntimo aos olhares.» «Não quero que ninguém saiba o que sinto.» E ainda esta outra: «O Fernando Pessoa sente as coisas mas não se mexe, nem mesmo por dentro.»

O «namoro» durou assim até Novembro de 1920. A sua última carta data de 29 desse mês. Aos poucos, ele foi-se afastando, até que deixámos completamente de nos ver. E isto sem qualquer razão concreta. Ele [...]

[...]

Passaram-se nove anos.

Um dia, o meu sobrinho Carlos Queirós trouxe para casa aquele famoso retrato do Fernando a beber vinho no Abel Pereira da Fonseca (tirado pelo Manuel Martins da Hora). Trazia uma dedicatória: «Carlos: isto sou eu no Abel, isto é, próximo já do Paraíso Terrestre, aliás perdido. Fernando. Dia 2/9/29.» Achei muita graça, como é natural, e disse ao meu sobrinho que gostava de ter uma para mim. O Carlos disse-lhe, e passado pouco tempo ele enviou-me uma fotografia igual com esta dedicatória: «Fernando Pessoa em flagrante *delitro*.»

Escrevi-lhe a agradecer e ele respondeu-me. Recomeçámos então o «namoro». Isto em 1929. Eu já não trabalhava nessa altura e continuava a viver em casa de minha irmã no Rossio.

O Fernando estava diferente. Não só fisicamente, pois tinha engordado bastante, mas, e principalmente, na sua maneira de ser. Sempre nervoso, vivia obcecado com a sua obra. Muitas vezes dizia que tinha medo de não me fazer feliz, devido ao tempo que tinha de dedicar a essa obra. Disse-me um dia: «Durmo pouco e com um papel e uma caneta à cabeceira. Acordo durante a noite e escrevo, tenho que escrever, e é uma maçada porque depois o Bebé não pode dormir descansado.» Ao mesmo tempo, receava não poder dar-me o mesmo nível de vida a que eu estava habituada. Ele não queria trabalhar todos os dias, porque queria dias só para si, para a sua vida, que era a sua obra. Vivia com o essencial. Todo o resto lhe era indiferente. Não era um ambicioso nem vaidoso. Era simples e leal.

Dizia-me: «Nunca digas a ninguém que sou poeta. Quando muito, faço versos.»[1]

---

[1] Excertos da evocação feita por Ofélia Queirós, in *Cartas de Amor de Fernando Pessoa*, ed. Ática, Lisboa, 1978.

IV

BIBLIOGRAFIA BÁSICA

A — OBRAS DE FERNANDO PESSOA

1 — Livros e folhetos publicados em vida

Ultimatum, de Álvaro de Campos, separata do *Portugal Futu-rista*, Tip. Monteiro, Lisboa, 1917.
35 Sonnets, Ed. Monteiro e Co, Lisbon, 1918.
Antinous, Ed. Monteiro e Co, Lisbon, 1918.
English Poems, I — II, Ed. Olisipo, Lisbon, 1921.
English Poems, III, Ed. Olisipo, Lisbon, 1921.
Aviso por Causa da Moral, de Álvaro de Campos, foheto, Tip. do Anuário Comercial, Lisboa, 1923.
Sobre Um Manifesto de Estudantes, folheto, Tip. do Anuário Comercial, Lisboa, 1923.
O Interregno — Defesa e Justificação da Ditadura Militar em Portugal, manifesto, ed. Núcleo de Acção Nacional, Lisboa, 1928.
Mensagem, Parceria António Maria Pereira, Lisboa, 1934.
(A Maçonaria) Associações Secretas, folheto, Lisboa, 1935.

2 — Prefácios, introduções, apêndices

A:
Missal de Trovas, de António Ferro e Augusto Cunha, Lisboa, 1912.
Entrevistas, de Francisco Manuel Cabral Metello, Lisboa, 1923.
Antologia de Poemas Portugueses Modernos, Lisboa, 1929.
Acrónios, de Luís Pedro, Lisboa, 1932.
Alma Errante, de Eliezer Kamenezky, Lisboa, 1932.
Motivos de Beleza, de António Botto, Lisboa, 1932.
Quinto Império, de Augusto Ferreira Gomes, Lisboa, 1944.

3 — Colaboração em revistas e jornais

A Águia, *A República* (1912); *Teatro* (1913); *A Águia*, *A Renas-cença* (1914); *Orpheu*, *Eh Real!*, *O Jornal*, *A Capital*, *A Galera* (1915); *O Jornal*, *Exílio*, *Centauro* (1916); *Portugal Futurista* (1917); *The Atheneum* (1920); *Contemporânea* (1922); *Revista*

Portuguesa, Contemporânea (1923); *Athena, Folhas de Arte* (1924); *Athena* (1925); *Contemporânea, O Sol, Jornal do Comércio e das Colónias, A Informação, Portugal* (1926); *Presença, O Imparcial* (1927); *Presença, Notícias Ilustrado* (1928); *Solução Editora* (1929); *Notícias Ilustrado* (1930); *Presença, Descobrimento* (1931); *Fama* (1932); *O Mundo Português* (1934); *Sudoeste, Diário de Lisboa, O Mundo Português, Momento* (1935).

4 — Algumas traduções
4.1. De português para inglês

Trezentos Provérbios Portugueses, Lisboa, 1914.
Canções de António Botto, Lisboa, *sem data*.

4.2. De inglês para português
a) *Obras poéticas*

«Catarina a Camões», de Elisabeth Barret Browning, in *Os «Sonetos from the Portuguese» e «Elisabeth Barret Browning»*, de Moura Marques, Coimbra, 1919.

«O Corvo», de Edgar Allan Poe, in *Athena*, n.º 1, 1924.

«Da Antologia grega», in *Athena*, n.º 2, 1924.

«Annabel Lee e Ulalume», de Edgar Allan Poe, in *Athena*, n.º 3, 1924.

«Hino a Pã de Mestre Therion» de Aleister Crowley, in *Presença*, n.º 33, 1933.

b) *Obras literárias em prosa*

«La Gioconda», de Walter Pater, in *Athena*, n.º 2, 1924.

«A Theoria e o Cão, Os Caminhos que tomamos», de O'Henry, in *Athena*, n.º 3, 1924

«A decisão de Georgia», de O'Henry, in *Athena*, n.º 5, 1925.

c) *Obras ocultistas*

Os Mensageiros da Loja Branca (1915), *Conferências Teosóficas* (sem data), *A Voz do Silêncio* (1921), *Os Ideais de Teosofia* (1925), todos de Annie Besant.

Compêndio de Teosofia (1915), *A Clarividência* (1924), ambos de C. W. Leadbeater.

5 — Obras publicadas postumamente
5.1 Obras Completas, da Ática

a) *Poesia*

I — *Poesias*, Fernando Pessoa, 1.ª ed., 1942. Com «Nota Explicativa» de J. Gaspar Simões e Luís de Montalvor.

II — *Poesias*, Álvaro de Campos, 1.ª ed., 1944.

III — *Poemas*, Alberto Caeiro, 1.ª ed., 1946. Com «Nota Explicativa» de J. Gaspar Simões e Luís de Montalvor.

IV — *Odes*, Ricardo Reis, 1.ª ed., 1946.

V — *Mensagem*, Fernando Pessoa, 1.ª ed., 1945.

VI — *Poemas Dramáticos*, Fernando Pessoa, 1.ª ed., 1952. Com «Nota Explicativa» de E. F. C.

VII — *Poesias Inéditas*, Fernando Pessoa (1930-1935), 1.ª ed., 1955. Com «Nota Prévia» de Jorge Nemésio.

VIII — *Poesias Inéditas*, Fernando Pessoa (1919-1930), 1.ª ed. 1956. Com «Nota» de Vitorino Nemésio e «Advertência» de Jorge Nemésio.

IX — *Quadras ao Gosto Popular*, Fernando Pessoa, 1.ª ed., 1965. Com «Prefácio» de Georg Rudolf Lind e Jacinto do Prado Coelho.

X — *Novas Poesias Inéditas*, Fernando Pessoa, 1.ª ed., 1973.

XI — *Poemas Ingleses*, Fernando Pessoa, 1.ª ed., 1974. Com «Prefácio, traduções, variantes e notas» de Jorge de Sena e outras traduções de Adolfo Casais Monteiro e José Blanc de Portugal.

   b) *Prosa*

   Páginas Íntimas e de Auto-Interpretação, 1.ª ed., 1966. Com «Introduções» de Georg Rudolf Lind e Jacinto do Prado Coelho.

   Páginas de Estética e de Teoria e Crítica Literárias, 1.ª ed., sem data, com «Introduções» de Georg Rudolf Lind e Jacinto do Prado Coelho.

   Textos Filosóficos, 2 vols., 1.ª ed., 1968. Com «Prefácios» de António de Pina Coelho.

   Cartas de Amor, 1.ª ed., 1978. Com «Prefácio e notas» de David Mourão-Ferreira e com «Relato» de Ofélia Queirós, recolhido e estruturado por Maria da Graça Queirós.

   Sobre Portugal, 1.ª ed., 1979. Com «Introdução e organização» de Joel Serrão e recolha de textos de M. Isabel Rocheta e M. Paula Morão.

   Da República, 1.ª ed., 1979. Com «Introdução e organização» de Joel Serrão.

   Textos de Crítica e de Intervenção, 1.ª ed., 1980.

   Ultimatum e Páginas de Sociologia Política, 1.ª ed., 1980. Com «Introdução e organização» de Joel Serrão e recolha de textos de Maria Isabel Rocheta e Maria Paula Morão.

   Livro do Desassossego por Bernardo Soares, 2 vols., recolha e transcrição dos textos de Maria Aliette

Galhoz e de Teresa Sobral Cunha, prefácio e organização de Jacinto do Prado Coelho, Lisboa, 1982.

c) *Antologia*
O Rosto e as Máscaras, 1.ª ed., 1978. «Antologia e Prefácio» de David Mourão-Ferreira.

5.2. Obras unitárias
À Memória do Presidente-Rei Sidónio Pais, Ed. Inquérito, Lisboa, 1940.
O Banqueiro Anarquista, Ed. Antígona, Lisboa, 1981.

5.3. Antologias de poesia
Poesia de Fernando Pessoa, selecção e introdução de Adolfo Casais Monteiro, 2 vols., Ed. Confluência, Lisboa, 1942.
Poemas Inéditos (destinados ao n.º 3 do *Orpheu*), prefácio de A. Casais Monteiro, Ed. Inquérito, Lisboa, 1953.
Poesia de Fernando Pessoa, prefácio e notas de A. Casais Monteiro, Ed. Agir, Rio de Janeiro, 1957.
Obra Poética, organização, introdução e notas de Maria Aliette Galhoz, Aguilar Editora, Rio de Janeiro, 1965.

5.4. Antologia de prosa
A Nova Poesia Portuguesa, prefácio de Álvaro Ribeiro, Ed. Inquérito, 1944.
Páginas de Doutrina Estética, selecção, prefácio e notas de Jorge de Sena, Ed. Inquérito, 1946.
Fernando Pessoa, selecção e prefácio de Eduardo Freitas da Costa, Ed. Panorama, Lisboa, 1960.
Textos para Dirigentes de Empresas, colaborações da *Revista de Comércio e Contabilidade*, de 1926, Ed. Cinevoz, Lisboa, 1969.
Obras em Prosa, organização, introdução e notas de Cleonice Berardinelli, Ed. Aguilar, Rio de Janeiro, 1982.

5.5. Antologias organizadas por Petrus
(Poesia e prosa, selecção e comentários de Petrus)

Crónicas Intemporais, C. E. P., Col. «Tendências», Porto, sem data.
Sociologia do Comércio, C. E. P., Col. «Antologia», Porto, sem data.

Elogio da Indisciplina e Poemas Insubmissos, C. E. P., Col. «Documentos Políticos», Porto, sem data.

O Encoberto, Ed. Parnaso, sem data.

Hyram, C. E. P., Col. «Tendências», Porto, sem data.

Mar Português, Ed. Parnaso, Porto, sem data.

Regresso ao Sebastianismo, com outros autores, Porto, sem data.

Análise da Vida Mental Portuguesa, Ed. Cultura, Col. «Universo», Porto, sem data.

Poemas Ocultistas, C. E. P., Porto, sem data.

Exórdio em Prol da Filantropia e da Educação Física, Ed. Cultura, Porto, sem data.

Vida e Destino da Poesia Portuguesa, Ed. Cultura. Porto, sem data.

O Interregno, C. E. P., Col. «Documentos Políticos», Porto, sem data.

Nas Encruzilhadas do Mundo e do Tempo, Ed. Parnaso, Porto, sem data.

Ultimatum de Álvaro de Campos, Ed. Cultura, Porto, sem data.

Defesa da Maçonaria, C. E. P., Col. «Documentos para a História», Porto, sem data.

A Maçonaria, com outro texto afim de Norton de Matos, Porto, sem data.

Apologia do Paganismo, Ed. Cultura, Porto, sem data.

Ensaios Políticos, C. E. P. Ed. Acrópole, Porto, sem data.

Apreciações Literárias, Ed. Cultura, Col. «Arcádia», Porto, sem data.

Aforismos e Reflexões, Ed. Parnaso, Porto, sem data.

Almas e Estrelas, Ed. Parnaso, Porto, sem data.

Distância Constelada, Ed. Parnaso, Porto, sem data.

Lugares não-geográficos da literatura, Ed. Parnaso, Porto, sem data.

5.6. Epistolografia (Publicações principais)

Homenagem a Fernando Pessoa, de Carlos Queirós (com excertos de cartas a Ofélia Queirós), Ed. Presença, Coimbra, 1936.

Cartas de Fernando Pessoa a Armando Cortes-Rodrigues, Ed. Confluência, Lisboa, 1944.

Vinte Cartas de Fernando Pessoa (a Álvaro Pinto), in *Ocidente*, vol. XXIV, n.º 80, 1944.

Cartas de Fernando Pessoa a João Gaspar Simões, Publicações Europa-América, Lisboa, 1957.

B — OBRAS SOBRE FERNANDO PESSOA
(BIBLIOGRAFIA RESUMIDA)

1 — De autores portugueses e brasileiros
(Livros publicados)

FERNANDO ALVARENGA, *A Arte Visual Futurista em Fernando Pessoa*, Ed. Notícias, Lisboa.

ALFREDO ANTUNES, *Saudade e Profetismo em Fernando Pessoa*, Faculdade de Filosofia, Braga.

SILVA BELKIOR, *Fernando Pessoa — Ricardo Reis*, ed. Imprensa Nacional / Casa da Moeda, Lisboa, 1983.

——*Fernando Pessoa — Ricardo Reis, os originais, as edições, o cânone das odes*, ed. Imprensa Nacional / Casa da Moeda, Centro de Estudos Pessoanos, Lisboa, 1983.

CLEONICE BERARDINELLI, *Poesia e Poética de Fernando Pessoa*, Rio de Janeiro, 1958.

JOSÉ BLANCO, *Fernando Pessoa — Esboço de Uma Bibliografia*, ed. Imprensa Nacional / Casa da Moeda, Lisboa, 1983.

MÁRIO DE SÁ-CARNEIRO, *Cartas a Fernando Pessoa*, 2 vols., ed. Ática, Lisboa, 1958.

YVETTE K. CENTENO (com Stephen Reckert), *Fernando Pessoa — Tempo, Solidão, Hermetismo*, Livr. Morais, Lisboa, 1978.

—— *Fernando Pessoa — O Amor, a Morte, a Iniciação*, ed. A Regra do Jogo, Lisboa, 1985.

ANTÓNIO DE PINA COELHO, *Os Fundamentos Filosóficos da Obra de Fernando Pessoa*, 2 vols., Ed. Verbo, Lisboa, 1968.

JACINTO DO PRADO COELHO, *Diversidade e Unidade em Fernando Pessoa*, Ed. Ocidente, Lisboa, 1949; 2.ª ed., Ed. Verbo, Lisboa, 1963.

—— *Camões e Pessoa, Poetas da Utopia*, Publicações Europa-América, Lisboa, 1984.

DALILA L. PEREIRA DA COSTA, *O Esoterismo de Fernando Pessoa*, Lello e Irmão Editores, Porto, 1971.

EDUARDO FREITAS DA COSTA, *Fernando Pessoa — Notas a Uma Biografia Romanceada*, Guimarães Editores, Lisboa, 1951.

EDUARDO FRIAS, *O Nacionalismo Místico de Fernando Pessoa*, Ed. Pax, Braga, 1971.

MARIA HELENA NERY GARCEZ, *Alberto Caeiro, Descobridor da Natureza*, ed. Centro de Estudos Pessoanos, Porto, 1985.

MARIA LUÍSA GUERRA, *Ensaios sobre Álvaro de Campos*, Lisboa, 1969.

GILBERTO DE MELLO KUJAWSKY, *Fernando Pessoa, o Outro*, Centro Estadual da Cultura, São Paulo, 1.ª ed., 1967: 2.ª ed., 1973.

MARIA JOÃO DE LENCASTRE, *Fernando Pessoa — Uma Fotobiografia*, ed. Imprensa Nacional / Casa da Moeda, Lisboa, 1981.

MARIA TERESA RITA LOPES, *Fernando Pessoa et le drame symboliste*, ed. Centro Cultural Português, Fundação C. Gulbenkian, Paris, 1977.

—— Fernando Pessoa, *Le théatre de l'Être*, Ed. de la Différence, Paris, 1985.

EDUARDO LOURENÇO, *Fernando Pessoa Revisitado*, Ed. Inova, Porto, 1973.

—— *Poesia e Metafísica — Camões, Antero, Pessoa*, Lisboa, 1985.

CRUZ MALPIQUE, *Fernando Pessoa, «Novelo Embrulhado para o Lado de Dentro»*, Porto, 1967.

FERNANDO J. B. MARTINHO, *Pessoa e a Moderna Poesia Portuguesa, do «Orpheu» a 1960*, Instituto de Cultura e Língua Portuguesa, Lisboa, 1983.

CARLOS FILIPE MOISÉS, *O Poema e as Máscaras*, Livr. Almedina, Coimbra, 1981.

MASSAUD MOISÉS, *Fernando Pessoa — Aspectos da Sua Problemática*, São Paulo, 1958.

ADOLFO CASAIS MONTEIRO, *Estudos sobre a Poesia de Fernando Pessoa*, Ed. Agir, Rio de Janeiro, 1958.

MARIA DA ENCARNAÇÃO MONTEIRO, *Incidências Inglesas na Poesia de Fernando Pessoa*, Coimbra, 1956.

JORGE NEMÉSIO, *A Obra Poética de Fernando Pessoa*, Livr. Progresso Editora, Salvador, Bahia, 1958.

MARIA DA GLÓRIA PADRÃO, *A Metáfora em Fernando Pessoa*, Ed. Inova, Porto, 1973.

ANTÓNIO QUADROS, *Fernando Pessoa — A Obra e o Homem*, Ed. Arcádia, Lisboa, 1960; 2.ª ed., 1968.

——*Fernando Pessoa, Vida, Personalidade e Génio*, 1.ª ed., Arcádia, Lisboa, 1981; 2.ª ed., Dom Quixote, 1984.

JOSÉ CLÉCIO BASÍLIO QUESADO, *O Constelado Fernando Pessoa*, Rio de Janeiro, 1976.

PRADELINO ROSA, *Uma Interpretação de Fernando Pessoa*, Guimarães Editores, Lisboa, 1971.

MÁRIO SACRAMENTO, *Fernando Pessoa, Poeta da Hora Absurda*, Ed. Contraponto, Lisboa, 1958; 2.ª ed., Ed. Inova, Porto, 1970.

ARNALDO SARAIVA, *Fernando Pessoa e Jorge de Sena*, Ed. Árvore, Porto, 1981.

JOSÉ AUGUSTO SEABRA, *Fernando Pessoa ou o Poetodrama*, Perspectiva, São Paulo, 1974.

JORGE DE SENA, *O Poeta É Um Fingidor*, ed. Ática, Lisboa, sem data.

—— *Fernando Pessoa e C.ª Heterónima*, Edições 70, 1982 (2 vols.).

JOEL SERRÃO, *Fernando Pessoa, Cidadão do Imaginário*, Livros Horizonte, Lisboa, 1981.

Alexandrino Severino, *Fernando Pessoa na África do Sul,* 2 vols., Marília, 1969.

Agostinho da Silva, *Um Fernando Pessoa,* Guimarães Editores, Lisboa, 1959.

João Gaspar Simões, *Vida e Obra de Fernando Pessoa,* 2 vols., Livraria Bertrand, Lisboa, 1950; 2.ª ed., revista, sem data.

—— *Fernando Pessoa — Escorço Interpretativo da Sua Vida e Obra,* Ed. Inquérito, Lisboa, sem data.

—— *Heteropsicografia de Fernando Pessoa,* Ed. Inova, 1973.

Fernando Luso Soares, *A Novela Policial Dedutiva em Fernando Pessoa,* Ed. Diabril, Lisboa, 1973.

Maria Leonor Machado de Sousa, *Fernando Pessoa e a Literatura de Ficção.* Ed. Novaera, Lisboa, 1976.

Segismundo Spina, *Itinerário de Fernando Pessoa,* São Paulo, 1974.

Taborda de Vasconcelos, *Antropografia de Fernando Pessoa,* Porto, 1973.

Jorge Vernex, *A Maçonaria e Fernando Pessoa,* Porto, Ed. Além, 1953.

2 — Obras de conjunto

Actas do 1.º Congresso de Estudos Pessoanos, Brasília Editora, Centro de Estudos Pessoanos, Porto, 1979.

Actas do 2.º Congresso de Estudos Pessoanos (na Universidade Vanderbilt, Nashville, E. U. A.), Centro de Estudos Pessoanos, Porto, 1985.

3 — De autores de outros países
    (Livros e estudos diversos)

Alain Bosquet, «Fernando Pessoa ou les délices du doute», in *Verbe et vertige. Situation de la poésie,* Paris, 1961.

Joaquim de Entrabasaguas, *Nota preliminar a Fernando Pessoa, Poesias (selecciones),* in Supl. 6.º de *Cuadernos de Literatura Contemporânea,* Consejo Superior de Investigaciones Cientificas, Madrid, 1946.

—— «Fernando Pessoa y su Creación Poética», in *Revista de Literatura,* t. v, n.º 9-19. 1954.

Ildefonso Manuel Gil, «La Poesia de Fernando Pessoa», in *Ensayos sobre Poesia Portuguesa,* Zaragoza, 1948.

Armand Guibert, «Fernando Pessoa ou l'Homme Quadruple», in trad. francesa da *Ode Marítima,* ed. Pierre Seghers, Paris, 1955.

—— «Fernando Pessoa», in *Antologia de Fernando Pessoa*, ed. Pierre Seghers, Paris, 1973.

—— *Fernando Pessoa — Visage avec masques*, antologia, apresentação e tradução, Alfred Eibel Ed., Lausanne, 1978.

GEORGES GUNTERT, *Fernando Pessoa — O Eu Estranho*, trad. port., Publ. D. Quixote, Lisboa, 1982.

LELAND ROBERT GUYER, *Imagística do Espaço Fechado na Prosa de Fernando Pessoa*, ed. Imprensa Nacional / Casa da Moeda — Centro de Estudos Pessoanos, Porto, 1982.

PIERRE HOURCADE, «À propos de Fernando Pessoa», *Bulletin des Études Portugaises*, t. 25, 1951.

—— «Fernando Pessoa», in *Temas de Literatura Portuguesa*, Morais Editores, Lisboa, 1978.

ROMAN JAKOBSON e LUCIANA STEGAGNO PICCIO, «Les Oxymores Dialectiques de Fernando Pessoa», in *Questions de Poétique*, de R. Jakobson, Ed. du Seuil, Paris, 1973.

H. D. JENNINGS, *Os Dois Exílios — Fernando Pessoa na África do Sul*, ed. Centro de Estudos Pessoanos, Porto, 1984.

GEORG RUDOLF LIND, *Teoria Poética de Fernando Pessoa*, Ed. Inova, Porto, 1970.

LEYLA PERRONE MOISÉS, «Pessoa personne?» in *Tel Quel*, 6.º, Paris, 1974.

OCTAVIO PAZ, «El desconocido de si mismo», in *Los Signos en Rotación y Otros Ensayos*, ed. Alianza Editorial, Madrid, 1971.

EDOUARD RODÉTE, «The Several Names of Fernando Pessoa», in *Poetry*, Chicago, Outubro de 1955.

ANTONIO TABUCCHI, *Fernando Pessoa — Una Sola Multitudine*, Adelphi Edizioni, Milano, 1979 (antologia e prefácio).

—— *Il Poeta e la Finzione*, ensaios, ed. Tilgher, Génova.

—— *Pessoana mínima*, ed. Imprensa Nacional / Casa da Moeda, Lisboa, 1984.

EDUARDO FREITAS DA COSTA, JOSÉ ANTÓNIO LLARDENT e JOAQUIM PUIG, *Fernando Pessoa*, número duplo monográfico da revista *Poesia*, n.os 7 e 8, Madrid, Primavera de 1980.

VÁRIOS, *Fernando Pessoa, Poète Pluriel*, colectânea de textos por ocasião da exposição no Centro Pompidou, de Paris, 1985, B. P. I., Centre Georges Pompidou e Ed. de la Différence, Paris.

C — TEXTOS E ESTUDOS PRINCIPAIS
SOBRE O MOVIMENTO DO «ORPHEU»

Luís de Montalvor, Introdução ao *Orpheu*, n.º 1, Janeiro--Fevereiro-Março de 1915.

Fernando Pessoa, texto que principia «O que quer *Orpheu?*», 1915 (?) in *Páginas Íntimas e de Auto-Interpretação*, ed. Ática, Lisboa, sem data.

—— Texto sob a epígrafe de «Orpheu», 1915 (?), assinado pelo heterónimo António Mora, in *Páginas Íntimas...*, *ob. cit.*

—— «O 'Orpheu' e a Literatura Portuguesa», 1916, texto que se destinava a uma *Antologia de Poetas Sensacionistas*, escrito em inglês e inédito até ser publicado na revista *Tricórnio*, Lisboa, 1952, com aquele título. Encontra-se também publicado, no original e em tradução portuguesa, nas *Páginas Íntimas...*, *ob. cit.*

—— «Nós os de 'Orpheu'», 1935, in *Sudoeste*, n.º 3, revista dirigida por Almada Negreiros, texto reproduzido em *Páginas de Doutrina Estética*, *ob. cit.*, e em *Textos de Crítica e Intervenção*, *ob. cit.*

José Régio, «Da geração modernista», in *Presença*, n.º 3, 8-4-1927, reproduzido in *Páginas de Doutrina e Crítica da «presença»*, Brasília Editora, Porto, 1977.

Almada Negreiros, «Um aniversário — 'Orpheu'», in *Diário de Lisboa*, 8-3-1935, reproduzido nas *Obras Completas* do pintor e escritor, vol. 5, Ed. Estampa, Lisboa, 1971.

—— *Orpheu — 1915/1965*, ed. Ática, Lisboa, 1965.

Augusto Cunha, «No tempo do Paulismo e do 'Orpheu'», in *Atlântico*, n.º 5, Lisboa-Rio de Janeiro, 1944, reproduzido in *Contos Escolhidos* do autor, ed. Bertrand, Lisboa, 1956.

Raul Leal, «Trinta anos de 'Orpheu'. Excertos de um estudo», in *República*, Lisboa, 20-5-1945.

Alfredo Guisado, «Ainda os 35 anos do 'Orpheu'. Como apareceu Álvaro de Campos», in *República*, 12-5-1950.

—— «A história do 'Orpheu'», in *Autores*, ano III, n.º 10, Lisboa, Outono de 1960.

—— «Comentário: Ainda o 'Orpheu'», in *República*, 23-4-1965.

Hernâni Cidade, «O 'Orpheu' e a sua gente nas recordações de Hernâni Cidade», in *República*, 28-4-1950.

João Gaspar Simões, *Vida e Obra de Fernando Pessoa — História de Uma Geração*, ed. Bertrand, 2 vols., Lisboa, 1950, em especial a «Quinta Parte», vol. I, *Sob o signo de Orfeu*, 2.ª ed., revista, 1970.

—— «'Orpheu', reeditado», *Diário de Notícias*, Lisboa, 26-11-1959, reproduzido in *Heteropsicografia de Fernando Pessoa*, Ed. Inova, Porto, 1973.

—— «O totalitarismo da geração do ORPHEU», 1959, in *Literatura, Literatura, Literatura,* Portugália Editora, Lisboa, 1964.

——«Incidências brasileiras na poesia do ORPHEU», 1960, *ibid.*

—— «No cinquentenário do 'Orpheu'», in *O Primeiro de Janeiro,* Porto 31-3-1965, reproduzido em *Heteropsicografia de Fernando Pessoa, ob. cit.*

—— «O Primeiro e o Segundo Modernismos: A Geração do 'Orpheu' e a Geração da 'Presença'» (1915-1940), in *Itinerário Histórico da Poesia Portuguesa,* Ed. Arcádia, Lisboa, 1964.

—— «Sinopse cronológica do nascimento e morte do 'Orpheu'», in *Cultura Portuguesa,* n.º 1, ed. Secretaria de Estado da Cultura, Lisboa, 1981.

JACINTO DO PRADO COELHO, «Sobre o Movimento do 'Orpheu'», in *O Comércio do Porto,* 11-8-1953, reproduzido na antologia *Estrada Larga,* Porto Editora, Porto, sem data.

—— «La littérature comme provocation: la génération d'Orpheu (1915)», in *Actes du VIe Congrès de l'Association Internationale de Littérature Comparée,* Erich Bierber, Stuttgart, 1975.

MARIA ALIETTE GALHOZ, *O Movimento Poético do «Orpheu»,* 1953, tese de licenciatura, dactilografada, Biblioteca Geral da Faculdade de Letras da Universidade de Lisboa.

—— «O movimento poético do 'Orpheu'», introdução à reedição de *Orpheu, 1,* ed. Ática, Lisboa, 1959.

—— «Introdução» à reedição do *Orpheu, 2,* ed. Ática, Lisboa, 1976.

JORGE DE SENA, «Orpheu», palestra lida no restaurante Irmãos Unidos, 25-11-1954, in *Da Poesia Portuguesa,* ed. Ática, Lisboa, 1959.

EDUARDO LOURENÇO, «'Orpheu' ou a poesia como realidade», *in* revista *Tetracórnio,* Fevereiro de 1955, reproduzido em *Templo e Poesia,* Ed. Inova, Porto, 1974.

MANUEL TÂNGER, «O 'Orpheu'», *in* «Caderno Literário» da revista *Casa das Beiras,* Rio de Janeiro, Fevereiro/Abril de 1969.

MASSAUD MOISÉS, «Fernando Pessoa e a poesia do 'Orpheu'» in *Miscelânia de Estudos em Honra do Prof. Vitorino Nemésio,* Faculdade de Letras de Lisboa, 1971.

JOÃO MENDES, «Orpheu», in *Enciclopédia Verbo, ob., cit,* vol. 14, 1973.

JOSÉ-AUGUSTO FRANÇA, «Poeta d''Orpheu', futurista e tudo», in *Almada, o Português sem Mestre,* Estúdios Cor, Lisboa, 1974.

—— «O Futurismo», in *A Arte em Portugal do Século XX,* ed. Bertrand, Lisboa, 1974.

—— «Amadeo e os futuristas, in *O Modernismo na Arte Portuguesa,* ed. Instituto de Cultura Portuguesa, Lisboa, 1979.

Arnaldo Saraiva, «A génese de 'Orpheu' e do modernismo português e brasileiro», in *Orpheu: 60 anos,* ed. Biblioteca Municipal de Vila Nova de Gaia, sem data.

—— «Introdução à leitura de 'Orpheu' 3», in reedição de *Orpheu, 3,* ed Ática, Lisboa, 1984.

Vários, inquérito sobre «O significado histórico do 'Orpheu' — 1915-1975», in *Colóquio-Letras,* n.º 26, Julho de 1975, respostas de Ana Haterly, Eduardo Lourenço, Eugénio de Andrade, Fernando Guimarães, Jorge de Sena, José-Augusto França, José Blanc de Portugal e Vergílio Ferreira.

Adolfo Casais Monteiro, «O 'Orpheu' como símbolo e realidade», in *Poesia Portuguesa Contemporânea,* ed. Sá da Costa, Lisboa, 1977.

Dalila L. Pereira da Costa, «'Orpheu', Portugal e o homem do futuro», *Revista da Universidade Estadual Paulista Júlio de Mesquita Filho,* 1977, reproduzido em ed. da autora, Porto, 1978.

Maria Manuela Noro, *A Geração de Orpheu,* Selecção de textos e orientação de leitura para o curso complementar dos liceus, Porto Editora, Porto, 1978.

Luís Francisco Rebelo, «Do 'Orpheu' à 'Presença' e depois» in *O Teatro Simbolista e Modernista,* ed. Instituto de Cultura Portuguesa, Lisboa, 1979.

Eugénio Lisboa, *Poesia Portuguesa: do Orpheu ao Neo-Realismo,* ed. Instituto de Língua e Cultura Portuguesa, Lisboa, 1980.

E. M. de Melo e Castro, «Orpheu», in *As Vanguardas na Poesia Portuguesa do Século XX,* ed. Instituto de Cultura e Língua Portuguesa, Lisboa, 1980.

Yvette K. Centeno, «Os fantasmas de 'Orpheu'», in *Cultura Portuguesa,* n.º 1, *ob. cit.,* 1981.

Lima de Freitas, «Do 'Orpheu' ao quinto império», *ibid.*

António Quadros, «O grupo», in *Fernando Pessoa. Vida, Personalidade e Génio,* ed. Arcádia, i vol., 1.ª ed., 1981; 2.ª ed., Publicações Dom Quixote, Lisboa, 1984.

Fátima Freitas Morna, *A Poesia de Orpheu,* ed. Comunicação, Lisboa, 1982.

José Blanco, «Orpheu», in *Fernando Pessoa — Esboço de Uma Bibliografia,* ed. Imprensa Nacional / Casa da Moeda, Lisboa, 1983.

José Augusto Seabra, «Orpheu, 3», introdução à reedição das provas de página de *Orpheu, 3,* ed. Nova Renascença, Porto, 1984.

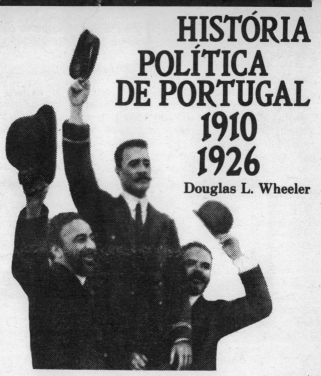

HISTÓRIA POLÍTICA DE PORTUGAL 1910 1926

Douglas L. Wheeler

O livro — Análise do período turbulento da Primeira República, o regime parlamentar mais instável da Europa ocidental, com poucas hipóteses de sobrevivência e com o País a sofrer com uma desorganização económica e social sem precedentes. Com dados não conhecidos do grande público, uma obra que percorre os anos durante os quais Portugal viveu um clima de violência pública e com constantes pronunciamentos político-revolucionários.

O autor — Professor de História da Universidade de New Hampshire, membro do Grupo Internacional de Conferências sobre o Portugal Moderno, consultor no Departamento de Estado norte-americano sobre Portugal e África em 1974 e 1976.

 EUROPA·AMÉRICA ...a memória no futuro